COMO CONTRA-ATACAR

La guía del guerrero cristiano de la calles
para volver la otra mejilla

NICKY CRUZ

EDITORIAL Carisma

Publicado por
Editorial **Carisma**
Miami, Fl. U.S.A.

Primera edición 1994

Publicado originalmente en inglés con el título:
How to Fight Back
por New Leaf Press, Inc.
Green Forest, AR. 72638

Traducción al español: Dardo Bruchez
Cubierta diseñada: Héctor Lozano

Producto 550133
ISBN 1-56063-779-X
Impreso en Colombia
Printed in Colombia

Una nota explicativa:

Muchos de los nombres de personas y localidades que figuran en este libro han sido cambiados para mantener la privacidad y proteger a los inocente.

Algunos testimonios similares se han dado como una historia, para proteger la identidad de las personas involucradas en ellos.

Le doy gracias a Glen Littel, hombre que anduvo metido en el satanismo, por su interés en contarnos su extraordinaria, casi increíble pero verídica historia.

Gracias a todos los que colaboraron, por su amistad y comprensión, cuando mis editores y yo nos vimos en la necesidad de disfrazar un poco las circunstancias. Ellos resueltos, decididos y firmes contra las fuerzas del mal; alabando el nombre de Jesús y proclamando su poder aprendieron... ¡COMO CONTRAATACAR!

Contenido

Dedicatoria

Dedico este libro a mi hijita más joven, mi amada Elena Mia, la cual no había nacido todavía cuando dediqué mi libro *The Lonely Now* a mis otras amadas hijas, Alicia, Laura y Nicole. Estoy orgulloso de Elena por su dedicación a la escuela y por ser una hija tan obediente.

También lo dedico a mi bellísima primera nieta, Isabella Cruz Dow, y a los otros nietos que seguirán. Sin duda ninguna, Isabella es una corona para su abuelo (Proverbios 17:6).

Mi oración es que el Señor derrame Sus bendiciones sobre mis hijas y nietos, y los proteja de todas las fuerzas del mal hasta que Jesús regrese. Así dice Proverbios 14:26:

"En el temor del Señor hay confianza segura,
y a los hijos dará refugio".

Reconocimientos

Gracias a todos mis amigos especiales que han contribuido grandemente en la preparación de este libro:

- El psicólogo cristiano, doctor Larry Taylor, un verdadero amigo, cuya capacidad profesional me resultó una valiosa fuente de información.
- La señorita Gretchen Hammond, "verdadera rata de biblioteca", que donó gratuitamente su tiempo para leer las pruebas y hacer las correcciones.
- Mi yerno, Patrick Dow, por ser tan íntegro y supervisar todos mis escritos, corregirlos y editarlos, y ser tan buen estudiante del idioma; y
- Finalmente a todo mi equipo de oficina, por su fidelidad y arduo trabajo.

Capítulo 1

Arriesgando a los hijos

Island Pond es un hermoso pueblecito sacado de un cuadro de Currier & Ives —la Norteamérica rural más pintoresca. Pero detrás de esa fachada rural se desarrolló una tremenda lucha espiritual, que parecía sacada de la novela de Peretti: *Esta patente oscuridad*.

Pero *esta* historia es cierta.

Fue aquí en este pueblo, que fuerzas del mal chocaron con un grupo fiel de creyentes que supieron doblar sus rodillas y clamar. Fue aquí que un complot diabólico, más insidioso que cualquier novela, tuvo que ser desarmado y destruido por medio de la intervención, directa y dramática de las fuerzas del Dios Todopoderoso.

Imagínense, si pueden, esta escena de una batalla:

- La policía del estado de Vermont, estaba metiendo en un ómnibus a ciento doce chicos cristianos que lloraban y clamaban por sus madres.

- Policías con cascos, y oficiales del Bienestar Social; mantenían a raya, a punta de pistola, a sus horrorizados padres, que entonces se pusieron de rodillas, y rogaron a Dios que detuviera este terrible secuestro de sus hijos.
- Las autoridades del estado de Vermont dijeron a la prensa internacional que esos chicos alegres, de mejillas rosadas, que cantaban en el coro, eran severamente abusados por sus padres fundamentalistas y sometidos a crueles lavados de cerebro. Dijeron también que el estado tenía que hacerse cargo de esos niños que sufrían abusos por parte de sus padres, y que los sometían a cultos peligrosos, castigándolos ¡y que esos hombres no creían en la evolución y en la posesión de cosas materiales!

¿Cómo pudo ocurrir esto en Estados Unidos, "La tierra de los libres" y el "Hogar de los valientes"? ¡Nueva Inglaterra es la cuna de la Revolución Americana! En el vecino estado de New Hampshire aun los automóviles tienen letreros como: "¡Vive libre, o muere!"

Y fue en esta pintoresca región del estado que un sábado por la mañana, fuerzas del ejército y trabajadores sociales irrumpieron violentamente y sacaron a ciento doce niños que todavía dormían en sus camas. Hubo una investigación secreta que determinó que los miembros de la *Community Church* de Island Pond, castigaban a sus hijos con varas metálicas provistas de clavijas, que compraban en las ferreterías del pueblo.

"Esta gente trabaja activamente para conseguir prosélitos" —dijeron las autoridades a la prensa—. "Sacan a sus hijos por una semana en viajes de reclutamiento para ganar nuevos miembros".

Esta es la versión que ellos daban. Pero en verdad los miembros de esa activa iglesia cristiana, organizaban campamentos, y llevaban a sus hijos para testificar y predicar el evangelio a miles de turistas que llegan durante el verano para admirar las bellezas naturales, parques y caminos, de Nueva

Inglaterra, los cuales son mantenidos por el Servicio de Parques Nacionales y muchos grupos amantes de la naturaleza.

Los oficiales dijeron que esos necios religiosos enseñaban a sus hijos que el humanismo es una mentira, que el creacionismo es la verdad, y que toda autoridad constituida está ordenada por Dios.

¡Por esos crímenes los padres merecían perder la custodia de sus hijos! Los chicos necesitaban ser "rescatados" por el estado.

Yo no cuento esta historia para meterles miedo, sino para alertarlos. Las fuerzas que nos odian a nosotros los cristianos evangélicos, amigos míos, están llenas de terrible odio e ira. Han montado contra nosotros un ataque a nivel mundial. Odian la verdad que nosotros conocemos.

Ellos desean a los niños cristianos. *Pero no los pueden tener*. Nuestro Dios nunca será derrotado por las fuerzas de meros hombres o de los ángeles rebeldes. Tú y tus hijos tienen las armas para contraatacar, *y ganar* con el poder del Todopoderoso Creador del universo.

La batalla final ya ha comenzado. ¡Pero tú puedes ganar, y así lo harás! Pero tienes que ser tan fiel como lo fueron los padres y madres de Island Pond, Vermont.

Algún tiempo atrás un grupo de los antiguos *Gente de Jesús*, capitaneados por Elbert Spriggs vinieron a Island Pond desde Chattanooga, Tennessee. El grupo había estado ya por seis años adorando juntos al Señor. En su nuevo hogar de Vermont empezaron con cultos en la *Community Church* que estaban abiertos a todo el mundo.

No se niega que la comunidad de Vermont, tan conservadora y cerrada vio la llegada del grupo con algunas sospechas. Esos antiguos habitantes de Tennessee parecían *hippies*. Algunos vestían de una manera que recordaba las vestimentas de los seguidores del *Movimiento de Jesús* de los años setenta. Los hombres tenían barbas y llevaban el cabello largo, atado atrás con una cinta, y vestían overoles. Las mujeres se cubrían la cabeza con un pañuelo y cubrían sus tobillos con vestidos largos como los de abuelita.

Pero lo más difícil de soportar era el repudio que la iglesia hacía del materialismo, y su deseo de vivir compartiendo juntos todas las cosas. Pero evidentemente, este concepto era el mismo que tenía la iglesia cristiana de Jerusalén, según Hechos 4:32-25. Y conceptos tan radicales como la negación de las posesiones materiales, han sido practicados por sacerdotes, monjas y monjes en la Iglesia Católica Romana durante siglos.

A pesar de ciertos informes malévolos, la *Community Church* de Island Pond nunca fue una "comunidad". Las familias permanecían unidas, hombres con sus esposas y niños vivían en apartamentos separados, propiedad de la iglesia y en un viejo hotel. Pero el grupo tenía una bolsa común. Todas las compras eran hechas por los ancianos, y esto después de mucha oración.

La iglesia no tenía casi ningún vehículo de motor. Los miembros preferían hacer los recorridos a pie, tal como Jesús lo hacía, por los escénicos paisajes de Nueva Inglaterra. Hacían lo mismo que el Señor y sus apóstoles cuando recorrían a pie Galilea, Samaria y Judea.

Cuanto más miraban la gente local la estrecha unión y el sentido comunitario del grupo, más sospechas les entraban en cuanto a estos "fanáticos religiosos". Empezaron a correr rumores absurdos, tales como el de un feroz castigo que le dieron a un chico porque en un servicio de la iglesia hizo rodar un trozo de madera y decía que eso era un camión.

Algunos ancianos de la iglesia, como James Howell, defendieron el derecho de vivir conforme a una estrecha disciplina. Ellos aceptaban solamente la Biblia como libro de doctrina, fe y práctica. Y dependían del Señor para todas sus cosas.

Enseñaban la necesidad de buscarle a El en todas las cosas.

Esperaban pacientemente en El. Ellos le alababan en todas las cosas. Satanás odia esta clase de gente.

Por esta causa la *Community Church* se hizo de muchos enemigos. Una mujer del pueblo, acusó a la iglesia de ser una secta, y hablaba largamente con cualquiera que le preguntaba acerca de su desaprobación de los padres que castigan a sus hijos.

Decía también, que ella había ofrecido amistad a miembros de la iglesia que no estaban de acuerdo con la marcha de la misma.

Había hablado con ellos y había escuchado quejas como que el grupo se estaba pareciendo a los *Moonies* y a los *Hare Krisna*, y aun tenía asociaciones secretas con ellos, o con algún otro culto extraño.

Así que algunos planearon la manera de clausurar la "comunidad" usando medios legales.

El cargo más repetido que le hacían, es que sus niños no iban a la escuela regular. El procurador del Condado de Essex formuló cargos contra ellos, pero fueron desestimados por los tribunales de justicia. Después de todo los niños estaban recibiendo buena asistencia escolar en sus hogares. Y por supuesto, mostraban estar mejor preparados que los niños que asistían a las escuelas regulares.

Los oficiales del Departamento de Bienestar Social volvieron a la carga alegando, malos tratos a los niños. Pusieron una petición en los tribunales, demandando que cinco jóvenes de la iglesia "estaban necesitados de supervisión, debido a que sus padres los habían castigado físicamente". Estos cargos fueron desestimados igualmente por falta de evidencias, pero los oficiales se enojaron mucho cuando la iglesia rehusó permitir a personas que vinieran a revisar la escuela, la guardería de niños de la iglesia y los apartamentos de las familias, y particularmente, permitir que interrogaran a los niños en ausencia de los padres.

Algunos meses antes algunas personas del pueblo fueron a ver al procurador y a un juez que simpatizaba con su causa. Les contaron a ambos las frustraciones de los trabajadores sociales y demandaron una orden para allanar los diecinueve edificios de la iglesia y buscar pruebas, especialmente de abuso de niños.

El juez pasó cuatro horas revisando el caso. Entonces autorizó a varios oficiales a organizar la investigación. Estas personas pidieron la ayuda del procurador general del estado de Vermont, quien justamente había presentado su candidatura para gobernador del estado.

El fiscal de la localidad fue respaldado con entusiasmo por el Departamento de Servicio Social y Rehabilitación del estado, cuyos miembros habían sido rechazados varias veces en sus pretensiones de inspeccionar la iglesia, buscando especialmente pruebas de "lavado de cerebro" de los niños.

Island Pond estaba silencioso en el amanecer. A las 6:30 de la mañana, los trescientos miembros de la iglesia todavía dormían, cuando se oyó el estrépito de los helicópteros de la televisión, autobuses enviados por el estado, autos de policías y una caravana de autos oficiales, rompiendo la quietud de la mañana. Con la precisión de las tropas de asalto, más de noventa soldados armados y policías con chalecos a prueba de balas, irrumpieron violentamente en las instalaciones de la iglesia.

A las 6:38 de la mañana, equipos de cuatro o cinco oficiales armados se apostaron en los pasillos de los apartamentos y frente a las puertas de las casas. Apuntando con sus armas y blandiendo las órdenes de allanamiento del juez, se abrieron paso a través de los adultos y arrestaron a ciento doce jóvenes menores de diecisiete años.

Rápidamente, ellos y los oficiales del Bienestar Social, fotografiaron dormitorios, baños, cuartos de juego y cuanta cosa no habían podido fotografiar antes. Jubilosamente recogieron varillas de metal, que servían —según ellos—, para flagelar a los niños.

A las 6:45, informa la prensa, el carácter del allanamiento empezó a cambiar. Los oficiales de justicia, las tropas armadas y los policías, que habían esperado hallar a pobres niños llorosos clamando por liberación de madres enloquecidas, y posiblemente padres polígamos y brutales —también habían esperado hallar resistencia armada—, se toparon con algo muy diferente.

En vez de ello, los padres ayudaron a sus hijos a subir a los autobuses, y oraron con ellos antes que partieran.

Calmadamente, todos esos chicos, bien educados, prometieron a sus padres seguir sus instrucciones y hacer todo lo que los oficiales dijeran y confiar en Jesús para todo.

—No te aflijas, Jesús está contigo —dijo una madre a su hijito de cuatro años—. Pronto estarás de vuelta en casa.

Una niña de la misma edad se abrazó llorando a su mamá y dijo:

—Mamá, no dejes que me lleven. Yo te amo. ¿A dónde nos van a llevar?

—Tú tienes que estar con este señor —dijo la madre mientras el soldado, confundido desviaba la vista—. El va a cuidar bien de ti, querida.

Gentilmente la madre alzó a la niña y la puso en brazos del policía. La pequeña, con la carita arrasada en lágrimas, se abrazó al cuello del hombre.

—Hola, hola —dijo cariñosamente el policía—. Yo te voy a llevar en mi propio auto, y voy a cuidar de ti, mi linda.

Claro que sí, los chicos y adolescentes lloraron. Algunos de los más pequeños estaban confusos y no sabían nada de lo que estaba ocurriendo. Los muchachos más grandes consolaban amorosamente a los más chicos.

Todos esos adolescentes se comportaron como fieles y valientes soldados de oración, acostumbrados a subir muy arriba en las montañas. Algunos parecían un poco atemorizados y acongojados. Nunca antes se habían separado de sus padres.

Ahora estaban siendo violentamente arrancados de sus padres por oficiales con una orden judicial, y por soldados que no sabían cómo tratar a los niños. Los chicos quedaron mirando a sus padres a través de las ventanillas de los autobuses, con enormes ojos llorosos y corazones acongojados.

Pero los muchachos mayores comenzaron a cantar coros.

Los padres, de pie al lado de los ómnibus cantaron también, y dirigieron palabras de aliento y consuelo a los más pequeños, que eran los más atribulados.

Los miembros de la iglesia se fueron al hotel Maple y se pusieron a orar. Pidieron al Señor que interviniera en todo el asunto y trajera pronto de vuelta a los chicos al hogar.

Los periodistas vieron con asombro como los padres —todos ellos luciendo barbas—, permanecían obedientes junto a los autobuses, hablando tranquilamente con sus hijos, o suplicando al Señor. Un grupo de padres pidió permiso para acompañar a sus hijos, porque querían saber a dónde y para qué los llevaban.

Los policías empezaron a enojarse, pero no con los miembros de la iglesia. Se hacía evidente a esos policías que los miembros de la iglesia eran gente pacífica y honesta, y que de ninguna manera resistían la intervención policial. "Los policías se quitaron sus gruesas chaquetas protectoras y las arrojaron a los vehículos" —escribió un periodista—. "Los oficiales empezaron a asumir el papel de "cuidadores de niños uniformados y todo esto por un largo y penoso día".

Los reporteros de la prensa local y nacional, y los camarógrafos de la televisión, empezaron también a irritarse. Se les había dicho que fueran a tomar fotos de un allanamiento del estado de Vermont contra un culto semejante al de Jim Jones, aquel de la Guayana. Y se mostraron impacientes porque no iban a poder contar "una gran historia" de resistencia armada, de tiros y de sangre.

Se ha adelantado la hipótesis de que los oficiales del estado de Vermont sabían perfectamente que todo el procedimiento era completamente ilegal. Sin embargo, se le había dicho a la prensa nacional que iban a presenciar toda una batalla campal, del tipo de *Wounded-Knee* del estado de Dakota del Sur, con resistencia feroz a cargo de aullantes y violentos miembros del "culto", y el rescate victorioso a cargo de las tropas de Vermont de pobres niños apaleados, lastimados y desnudos.

Si esto hubiera sucedido, los grandes diarios del país, y las grandes cadenas de televisión, habrían presentado fotos de jóvenes explotados sexualmente, y los oficiales del estado de Vermont, se hubieran convertido en héroes nacionales.

Pero los periodistas plasmaron una escena totalmente diferente. Los chicos de la iglesia subieron a los autobuses en líneas ordenadas, con sus mejillas sonrosadas y carentes en absoluto de miedo. Una vez en los vehículos, levantaron las ventanillas y escucharon atentamente a sus padres que les pedían orden y obediencia. Luego se pusieron a cantar coros de la iglesia, dirigidos por los muchachos más grandes.

Los miembros de la prensa se reunieron con los creyentes en el hotel propiedad del grupo, y fueron recibidos con toda calma y serenidad. Los creyentes les pidieron que oraran juntos por el procedimiento que se estaba haciendo y rogarle a Dios que pusiera fin al mal que estaba en desarrollo.

—No tenemos lucha contra carne y sangre —explicó un diácono de la iglesia de hablar suave—. Esta batalla será ganada en los cielos. Pongan atención y vean cómo *nuestro Dios protege a Su pueblo*.

Mientras los periodistas asombrados seguían mirando, las personas solteras del grupo siguieron orando e intercediendo, rogando al Señor que interviniera y pusiera fin a todo lo que los oficiales estaban haciendo.

Sí, esos hombres y mujeres eran buenos guerreros.

Pero eran guerreros de oración. Sabían perfectamente cómo contraatacar a las fuerzas del mal.

Si Dios estaba con ellos, ¿quién podía estar en contra?

Periodistas de la NBC, ABS y CBS, las grandes cadenas de televisión de Estados Unidos, la *Canadian Broadcasting Corporation*, la *Associated Press,* la *United Press International* y aun la agencia francesa *Gamma-Liason* comenzaron a hacer a los oficiales preguntas embarazosas.

Los oficiales del estado conferenciaron entre sí. Los comandantes de la policía exigieron explicaciones. Varios de los policías estaban dispuesto a vaciar los autobuses y dejar ir a los chicos a sus casas. Esta no había sido la recepción que ellos habían esperado de unos fanáticos religiosos. No eran sectarios militaristas. *Eran gente cristiana.*

Después de la reunión los oficiales de la policía pidieron disculpas y dijeron que los padres podían acompañar a sus hijos.

Gary Long, un miembro de la iglesia que no tiene hijos, "saludó desde el porche agitando la mano —escribió un periodista—. "'¡Vuelvan pronto!'" —dijo él, y descalzo todavía, hizo esfuerzos para convertir al periodista al cristianismo.

A las 9:A.M. los chicos y varios de los padres de la *Community Church* de Island Pond, estaban todos en los autobuses. A las 9:30 estaban ocupando un "centro de crisis" en la armería de la Guardia Nacional en el vecino pueblo de Newport.

Y Dios continuaba siendo fiel.

Los oficiales del estado que habían preparado toda la invasión, avisaron del suceso a un juez llamado Fran Mahady, que vivía a doscientos kilómetros de distancia. El juez que había autorizado la invasión se había ausentado. Los oficiales necesitaban a Mahady para varios papeles legales, y autorización para poner a todos los chicos al cuidado del estado.

El juez Mahady, que temía una repetición del avivamiento de Woodstock o del horror de Guayana, fue rápidamente al edificio de los tribunales y examinó a varios de los jóvenes.

Se enojó con los oficiales que habían organizado todo el procedimiento. Estos no eran chicos que estaban siendo abusados, o sucios o abandonados. Eran todos jóvenes inteligentes, de brillantes ojos, dispuestos a colaborar con las autoridades, bien alimentados, bien vestidos y completamente respetuosos de las autoridades. Rechazó con desdén la orden que se necesitaba de los tribunales para que cincuenta médicos, enfermeras y psicólogos examinaran e interrogaran a los chicos.

Mahady ordenó que todos los chicos fueran devueltos a sus padres *inmediatamente*.

Con voz de trueno dijo que no había ninguna razón para detener a los chicos, y que las autoridades habían ignorado no sólo la Constitución del estado de Vermont, sino también la Ley de Derechos Civiles de la Constitución de los Estados Unidos.

Mientras las cámaras de televisión filmaban todo, los oficiales de Vermont quisieron poner una protesta. Mahady los ignoró completamente, y ordenó que se pusiera un defensor público para que representara a los chicos, si el estado decidía dejar el caso en las manos de Mahady.

Allá en Island Pond, las fervientes oraciones de intercesión de todos los creyentes crecían en intensidad.

Deseo que ustedes entiendan perfectamente cómo fue ganada esta batalla: *en vez de temer o pelear, los miembros de la iglesia confiaron en el Señor.*

Ellos ejercieron profundamente su fe. No podían ver de inmediato el efecto de sus oraciones. No podían ver a los soldados bajar sus armas y discutir con los trabajadores sociales y funcionarios del estado.

La acción estaba distante, en Newport.

Los guerreros de oración no podían ver cómo el Señor intervenía en esta ocasión.

No sabían que la petición de Mahady, un abogado defensor para los niños, había sido puesta ante Andrew Crane, un hombre cristiano. Este juez corrió a la delegación de policía y accedió defender a los chicos. Se negó a firmar ningún papel permitiendo a los psicólogos examinar a los niños o hacerles preguntas. Comenzó a telefonear a sus amigos abogados en las organizaciones sobre derechos humanos y aun pidió ayuda al capítulo de Vermont la *American Civil Liberties Union.*

Y esta organización, a menudo oponente a los cristianos, se puso de parte de la iglesia. Antes del mediodía había en la escena cincuenta abogados, *luchando por los chicos.*

Mientras tanto, el juez Mahady se ponía más colérico denunciando el allanamiento. Los oficiales del Bienestar Social del estado se acobardaron ante las denuncias vehementes del juez de que ellos habían violado las leyes del estado y las federales. Los oficiales quisieron excusarse por teléfono pero no recibieron ningún apoyo de la capital del estado.

Las noticias del procedimiento estaban ya en la televisión local. Los oficiales del estado —particularmente los oficiales electos—, podían ver que la situación se estaba agriando.

No ofrecieron ninguna ayuda. Los que autorizaron el procedimiento debían arreglarse solos.

Y con sólo pocas débiles protestas de los oficiales del estado, los ciento doce chicos y jóvenes fueron devueltos a sus gozosos padres.

Las cámaras de televisión registraron sus alabanzas al Señor, las felices declaraciones de Su misericordia, Su fortaleza, Su poder.

Días más tarde el juez Mahady publicaría la siguiente declaración:

> *Uno de los propósitos del Acta de Procedimientos Juveniles de Vermont es proveer cuidado, protección y desarrollo moral, mental y físico por entero a todos los niños. Sin embargo, es un procedimiento equivocado de la legislatura de Vermont, tratar de alcanzar esta meta, dondequiera sea posible en un ambiente familiar, separando a los hijos de los padres cuando no sea por evidente necesidad de cuidado de los niños. Por lo tanto, es la obligación y la responsabilidad del estado demostrar con suficiente evidencia, no por presunción general, que es necesario separar a cada uno de los ciento doce chicos de sus padres.*
>
> *El estado admite virtualmente que no es capaz de asumir esta carga. Vista de esta manera su petición no se basa en que los niños realmente necesitan ayuda urgentemente, sino en una consideración generalizada.*
>
> *El estado carece en absoluto de pruebas sobre estos niños y padres, mucho menos una prueba suficientemente convincente.*
>
> *Por estas razones, este tribunal rechaza la casi increíble petición de que se extienda una orden*

general de detención de ciento doce niños, sin aun escucharles debidamente.

El juez Mahady castigó a los oficiales del estado y a los trabajadores sociales por intentar tratar a los niños como "pruebas de evidencia". Así afirmó en su decisión:

> *Era el propósito del estado transportar a cada uno de los chicos a una clínica especial, donde serían examinados por un equipo de doctores y psicólogos en busca de evidencia de abuso. Si no se hallan evidencias de abuso, un chico debe ser devuelto a sus padres, a condición que los padres "cooperaran", esto es, que dieran cierta información a la policía.*
>
> *Así que los niños no sólo fueron tratados como "meras piezas de evidencia", sino que también fueron mantenidos como rehenes, exigiendo información de los padres.*
>
> *Este plan del estado da crédito a lo que dicen muchos padres de los niños, que ellos fueron advertidos por las autoridades que no se reunirían con sus hijos a menos que le facilitaran toda la información que les pedían. Durante el curso de las audiencias el estado indicó que, de ser concedida a los padres la custodia de sus hijos, estos se darían únicamente a los padres "cooperadores".*
>
> *Si el tribunal hubiera accedido a autorizar una orden de detención por el estado, se hubiera convertido en algo groseramente ilegal.*

¿Qué es lo que está en el fondo de toda esta increíble historia?

Está la forma como contraatacó la iglesia.

Con humildes peticiones al Todopoderoso.

Con oración.

Con confianza en el Señor.

Aun los periodistas quedaron asombrados de la serenidad, la paz y la confianza que demostraron todos los creyentes. Confiaron en todo momento en la liberación por parte del Señor.

"Los chicos están danzando" —escribió un reportero— "y los adultos están sentados en círculo cantando. En un rincón varios están tocando instrumentos —guitarras, tamborines, un piano—, traté de ver quién dirigía al grupo pero no vi ninguno. Al parecer todos obran al unísono.

"Una mujer se pone de pie y lee en la Biblia, mirando arriba ocasionalmente para describir el pasaje con sus propias palabras. Ella explicaba al grupo que su amor por Jesús es tan fuerte, tan absoluto, que el viernes cuando la policía entró a su hogar y la amenazó con llevarse los niños, ella estaba preparada para dejarlos ir, si esa era la voluntad de Dios. Otros miembros asintieron a sus palabras con un rotundo 'Amén'.

"Otro hombre se puso de pie y dijo que una gran paz había entrado en su corazón ese viernes, cuando la policía entró de golpe en su hogar. Dijo a sus hermanos y hermanas cómo habría reaccionado él en otros tiempos, violentamente ante tal intrusión. Pero ahora sólo sentía compasión, amor y una paz sobrecogedora.

"Ellos hablaban y hablaban. Sus testimonios parecían interminables. Muchas mujeres hablaron a la par de los hombres, y esto me sorprendió, porque viéndolas con mantillas en la cabeza parecían vivir en sumisión. Otros dijeron cómo los soldados habían pedido disculpas a los miembros de la iglesia por todo el procedimiento. Un soldado había aceptado a Cristo como su Señor, viendo la calma de los cristianos. Otro dijo que con todo gusto le daría trabajo cuidando de sus niños a cualquier miembro de la iglesia".

¿Qué sucedió dentro de la jerarquía del estado de Vermont? El Procurador General, que había autorizado el ataque fue estruendosamente derrotado en sus pretensiones de ser gobernador de Vermont.

Todos los cargos contra miembros de la iglesia fueron retirados. Algunos de los oficiales del estado todavía gruñen por el tremendo fiasco. "Hay carreras en la línea", acotó el abogado Scott Skinner, quien permanece amigo de los chicos que defendió.

> *"Igual que los mártires de los cuales hemos oído en la escuela dominical, estos hombres barbados y estas mujeres cubiertas con pañuelos en sus cabezas y vistiendo largas faldas, mantuvieron una calma perfecta durante las dieciocho horas que duró la odisea" —se lee en una nota periodística—. "Ellos no mostraron ninguna ira ni ninguna histeria cuando entregaron sus hijos a las autoridades del estado; o cuando pasaron a lo largo de la calle principal de Newport, en medio de una masa de policías, reporteros y fotógrafos; y, cuando el sol se puso y llegó la noche, en medio de los reflectores de la televisión.*
>
> *"Y en el tribunal, de acuerdo a lo que dijo el abogado defensor Richard Rubin, se presentaron con una dignidad y humildad que él encuentra extraordinaria en vista de la presión y ansiedad a la cual estaban sometidos.*
>
> *"Cuando salían del Tribunal del Condado de Orleans, algunos de ellos dijeron a sus hijos que sonrieran. Y los chicos, se veían tan inocentes y vulnerables que partía el corazón, sonrieron a los soldados cuando éstos los condujeron a través de la calle hasta los autobuses que esperaban.*
>
> *"Ahora estos padres y madres llevaban de vuelta sus hijos a sus hogares. Detrás dejaban a varios altos oficiales del estado de Vermont, hombres de considerable poder, que habían pasado toda la tarde en la acera*

frente al edificio del tribunal, mirando y esperando, mientras una bien planeada y diestramente ejecutada maniobra, sufría una asombrosa derrota.
"Ellos han sido derrotados".

Esto es lo que sucede, amigos míos, cuando los cristianos luchan con las armas que nos da nuestro gran Dios.

El estado de Vermont esperaba que los miembros de la iglesia respondieran con armas de fuego. Esos incrédulos oficiales no estaban preparados para la manera en que los cristianos se elevaron por encima de sus cabezas, directamente mirando al Trono de Dios.

Los miembros de la iglesia de Island Pond pensaron rectamente cómo librar su batalla.

Sobre sus rodillas.

Esto funciona, mi amigo.

Capítulo 2

Los chicos contraatacan

Sus hijos también necesitan saber cómo contraatacar. Esos chicos en los autobuses de Island Pond intercedieron pronta, eficaz y certeramente.

El Señor siempre oye las oraciones sencillas y confiadas, de los niños inocentes. Varias veces en los evangelios, Jesús menciona que Dios el Padre tiene un lugar especial para los niños. Un pasaje dice que sus "ángeles" ven siempre el rostro del Padre celestial.

Por eso hay una cantidad de razones para que te sientas motivado a enseñar a tus hijos a confiar en Jesús todos los días. Ello puede salvar sus vidas.

Ron, un amigo mío, cierto día se sintió lleno de una horrífica premonición. Su hijita de cinco años, que asistía al kindergarten, estaba en grave peligro.

El y yo habíamos estado envueltos en alguna particularmente seria lucha espiritual, cuando revisábamos juntos los últimos capítulos de la edición en inglés de mi libro *Rompiendo la maldición*[1]. Por ejemplo, su empleador, la compañía de publicaciones que estaba editando el libro, hacía entonces frente a un terrible ataque demoniaco —un asalto del cual no sobreviviría.

¿Cómo puede permitir el.Señor que una editorial cristiana, caiga en bancarrota? Bien, esa es otra historia que ya les contaré en detalle en otro momento. Pero el fondo del asunto es que el dueño de la editorial, en medio de una batalla espiritual, hizo varias apreciaciones injustas. Quizás el punto crítico vino cuando decidió consultar a un "experto" en vez de Jesucristo —una movida de la cual le advertí seriamente.

En Isaías 31:1 tenemos una advertencia:

> *"¡Ay de los que descienden a Egipto por ayuda! En los caballos buscan apoyo, y confían en los carros porque son muchos, y en los jinetes porque son muy fuertes, pero no miran al Santo de Israel, ni buscan al Señor".*

Así que el Señor dejó que esta compañía entrara en dificultades, a pesar de sus ventas récord, y tener por delante un promisorio futuro.

Odio tener que criticar a alguien cuya fe es débil. Es muy fácil decir: "No fue sanado porque no tuvo fe", o "Su compañía no sobrevivió a la recesión porque no tuvieron fe". Pero aquí teníamos una compañía asediada por todos lados, con un dueño que trataba de combatir con sus propias fuerzas, escuchando a una cantidad de consejeros, que eran todos escépticos respecto a la lucha espiritual.

Tú y yo vivimos en un mundo que a menudo esconde la cabeza en la arena cuando se trata de batallas espirituales.

1 Publicado por Editorial Carisma (Devil on the Run).

La gente "racional" no admite la existencia de lo sobrenatural. Muchos buenos cristianos te dirán que la era de los milagros y de las posesiones demoníacas terminaron con el tiempo de los apóstoles.

Recientemente, una revista de noticias publicó un artículo haciendo mofa de las posesiones demoníacas de hoy en día. "Para muchos... el exorcismo está en las sombras del remoto pasado de la iglesia" —escriben los reporteros Bill Turque y Farai Chideya—. "Desde que la medicina y la psiquiatría empezaron a explicar cuáles son los demonios que producen trastornos mentales, el ritual ha llegado a ser una rareza, confinada largamente a los diarios sensacionalistas y los libretos de Hollywood...." (Citado de *"The Exorcism of Gina", Newsweek* Vol. CXVII, No. 15, página 62.)

En medio de todas las tribulaciones que pasaba el empleador de Ron para permanecer solvente, la batalla para terminar *Devil on the Run* (Rompiendo la maldición) se intensificaba. Durante sus oraciones privadas de la mañana, Ron llegó a preocuparse seriamente por la seguridad personal de su hijita.

Cuando trabajamos juntos en *Devil on the Run*, Ron y yo habíamos examinado una buena cantidad de horribles historias verdaderas de satanistas que derraman la sangre de inocentes niños en su ritos diabólicos.

Luego de eso empezó a escuchar historias que giraban alrededor de secuestros de niños, y sacrificios satánicos no resueltos todavía.

De este modo es posible comprender la ansiedad de Ron cuando el Señor le advirtió suavemente que algo muy terrible tenía interés en su hijita. Siempre buscando al Señor, Ron se sintió compelido a interceder por la seguridad de su hija.

Esta niña, de nombre Amelia, de grandes ojos, es una muchachita muy confiada, con una simpatía natural hacia todas las personas. Siente mucho el dolor de otros. Su padre sabía que de sus cuatro hijos, esta niña era la única que se sentiría aterrorizada por cualquier malvado que disfrutara asustando a los niños pequeños.

Su hermanita mayor, Jan, pelearía en contra. Su hermano Rupert, sería un fuerte beligerante. Y el hermanito menor Nicholas era sólo un bebé que lloraría si un extraño se acercara a él.

Pero la pequeña Amelia, de cinco años, quedaría petrificada y absolutamente intimidada ante cualquier ataque que le hicieran asustadores.

Mientras el padre de Amelia luchaba contra esta insistente premonición, su esposa también había sentido la misma terrible advertencia. Ella también había escuchado al Señor diciéndole que algún profundo e insidioso mal, deseaba a Amelia.

Dado que esta advertencia era tan extraña, ni Ron ni su esposa querían declarársela el uno al otro, por temor de ser alarmistas. Pero los dos llevaron todo el asunto al Señor, rogándole protección y seguridad para Amelia. Ambos padres luchaban con la idea de comunicarse el uno al otro ese súbito y extraño miedo de que algo oscuro y muy malo acechaba a la pequeña niña.

Era demasiado extraño. Pero la premonición se les hizo tan fuerte y tan persistente que la tomaron seriamente —particularmente después del hecho de que también la niña había recibido esa advertencia.

Súbitamente, la nena se negaba a ir sola aun al frente de la casa. Cuando se acostaba decía que algo quería apoderarse de ella, y le rogaba a los padres que la "vigilaran" después que se durmiese. Decía que los castigaría si no asomaban su cabeza frecuentemente en su dormitorio para que se aseguraran de que se hallaba bien.

Como la preocupación por todo este asunto aumentó, Ron sintió que era tiempo de hablar con su hijita respecto a sus temores.

¿Pero cómo?

Se tragó su orgullo y habló con su esposa acerca de lo que estaba sintiendo.

—¡Siento la misma cosa! —exclamó ella—. ¿Y has notado cuán asustada anda Amelia estos últimos días? Indudablemente ella ha visto algo.

Oraron juntos, tal como se nos dice en Mateo 18:19, y pidieron que Dios protegiera a su hijita. Después el papá fue a hablar con Amelia.

¿Pero cómo hablaría de este asunto con una tierna niñita del jardín de infantes? No podía hablarle de gente terrible, que abusa de inocentes niñitas, o de rituales satánicos que demandan la muerte de niños inocentes.

No, él tenía que darle seguridad.

¿Pero cómo hacerlo honestamente?

Ron sabía que no bastaba con decirle que podía confiar plenamente en su papá, que habría de protegerla. Si algún malvado secuestraba a la pequeña, podía deleitarse con los gritos de una niñita llorando por su padre —*un padre humano que no podía acudir.*

Ron se dio cuenta de que Amelia necesitaba conocer el gran poder del verdadero Protector. La niña necesitaba comprender que su gran Padre celestial estaba listo para ayudarla en cualquier lugar y momento que ella lo llamase, y pidiese Su ayuda.

—Querida —le dijo Ron a su hijita una noche que la tenía en sus brazos—, tú sabes que mamá y yo te queremos mucho.

Amelia sonrió, resplandeciendo su cara por el amor que sentía por su padre.

—¿Tú sabes que Jesús cuida de ti mucho, mucho también?

Ella asintió felizmente.

—¿Sabes tú que El también te protege?

—¡Oh, sí! —respondió la niñita.

—Amelia —dijo el padre suavemente—, tú sabes muy bien que si alguien quisiera dañarte, yo estaría enseguida dispuesto a defenderte. ¿Pero cómo te defenderías tú solita si yo no estoy cerca?

—Llamaría a mi mami —respondió la nena.

—Pero ¿qué si ella tampoco está cerca?

—¿Tengo que llamar a algún otro?

—Bien —dijo Ron—. ¿Sabes tú quién podría defenderte de cualquiera persona o cosa mala que quisiera agarrarte?

—¡Jesús!

—Muy bien. Jesús puede defenderte de cualquier cosa mala que tu papá ni aun puede ver. El puede protegerte aun cuando ni tú misma te des cuenta de que algo malo está esperando por ti.

La niña asintió solemnemente, recordando la lección de la escuela dominical:

—Yo sólo necesito decir, *'en el nombre de Jesús, tú, mala persona, déjame sola'*.

El papá de Amelia sonrió, luchando contra una súbita emoción.

—Eso está muy bien. Jesús puede ayudarte cuando tu papá no pueda. Jesús puede llamar a papá o a mamá para que vengan a ayudarte. Y Jesús puede hacer que ninguna cosa mala te toque.

Solemnemente la niña dijo sí con un guiño.

—Yo le voy a pedir a Jesús que me ayude cuando esté asustada —dijo mientras bostezaba.

Y segura en los brazos del padre, Amelia se quedó dormida.

Semanas más tarde, en la mañana del 31 de octubre, Ron sintió de nuevo esa súbita y pertinaz aprensión. En la oración de esa mañana cayó sobre su rostro pidiendo al Señor que cuidara a su hijita tan amada.

Este padre sabía, de algún modo, profundamente dentro de su espíritu, que este era el día.

Halloween. Octubre 31. Víspera de todos los santos. *La noche del diablo*.

Con sencilla fe, agradeció al Señor por rodear a su hijita con una gran fuerza de ángeles —y por combatir cualquier mal que quisiera destruir la inocencia y la alegría de Amelia.

E hizo una nueva oración que el Señor había puesto dentro de él. Pidió por más intercesores. Pidió a Dios por mucha gente que espontáneamente se pusiera a orar por sí mismos y por sus familias.

La mañana de *Halloween* también su esposa sintió que ese era el día señalado del cual había sido advertida. Ella también pidió al Señor que protegiera a todos sus hijos, especialmente a la pequeña Amelia. Luego pidió al Señor que protegiera su casa con una "cerca de espinas" que Satanás y sus demonios no pudieran traspasar.

Llenos de paz, ambos padres fueron a sus tareas del día.

Mientras se iba acercando la noche de *Halloween*[1] volvieron a sentir fuertemente que debían orar por Amelia.

Ambos presentían algo.

Cuando anochecía, la vivaz hermana de Amelia jugaba con sus patines en la acera de una casa vacía que había al lado. Estaba emocionada con la fiesta de la "Celebración de la Cosecha" que se haría en la iglesia esa noche como alternativa al juego tradicional de los chicos norteamericanos en la noche del 31 de octubre. Cuatro horas de recorrido por el vecindario llamando a las puertas y diciendo *¡Trick o Treat!*

Mientras jugaba con sus patines, un automóvil sedán negro se detuvo en la avenida cercana al vecindario. La chica mayor se asustó al ver a tres personas, vestidas de negro, y con extraña pintura facial, que la estaban mirando. Ella decidió ignorarlos.

Pero ahí estaba Amelia, caminando por el patio del frente de la casa.

—¡Tú no debes salir del patio! —gritó la muchachita— ¡Se lo diré a mamá!

El auto negro se detuvo frente a la casa.

Una figura vestida toda de negro, salió del vehículo y corrió hacia Amelia. La niñita se paralizó de terror, pero girando rápidamente, salió corriendo hacia la casa.

1 NOTA: Fiesta que se celebra en los Estados Unidos, el 31 de octubre, donde los niños se disfrazan y salen de noche pidiendo dulces y caramelos de casa en casa, diciendo *¡Trick o Treat!*. Esta fiesta tiene un origen pagano y demoniaco, ya que es una adoración a brujas y demonios, y es rechazada por la mayoría de los cristianos evangélicos.

Mientras la hermanita mayor pedía socorro con toda la fuerza de sus pulmones, la pequeña corría por su seguridad.

—¡Mamá, mamá! —gritaba.

La mamá salió corriendo de la casa y vio algo increíble.

Una figura vestida de negro corría hacia Amelia con los brazos extendidos, queriendo agarrarla.

Pero súbitamente, llegó a la línea de la propiedad.

Y la figura vestida de negro se paró de golpe, como si hubiera topado con una invisible cerca de espinas, que circundara el patio.

En la oscuridad de la calle el motor del auto echó a andar.

La figura vestida de negro dio media vuelta, corrió al auto y se metió en él. Haciendo sonar las llantas, el auto salió apresuradamente .

Mientras Amelia lloraba, la mamá tuvo tiempo de mirar la placa del auto y memorizar el número. Agarrando a Amelia corrió al teléfono y marcó el 911, el número de llamadas de emergencia.

A los pocos momentos la calle estaba llena de autos de policía y motocicletas.

Sin mencionar todas las semanas de advertencia que habían tenido, la madre de Amelia contó serenamente lo ocurrido.

La hermanita mayor contó lo que había visto.

Y una Amelia de grandes ojos contó su propia historia.

—¡Ellos trataron de agarrarme! —protestó— ¡Gente mala! ¡Una bruja!

Los oficiales se enamoraron de esa nenita de pelo largo, alumna de un kindergarten. Se arrodillaron a su lado y le pidieron detalles de lo que había ocurrido. Y la alabaron por todas las respuestas que les dio.

Los policías se sonrieron cuando ella, cándidamente, les dijo que Jesús la había protegido, tal como el papá le había dicho.

—Qué amorosa niñita —dijo un enorme policía a la madre de la niña cuando terminó de escribir su informe—. Es una niña extraordinaria.

Media hora más tarde, la policía trajo una figura vestida de negro. Se trataba de un adolescente, que tartamudeando pidió disculpas a Amelia y a su madre. Cuando el adolescente entró a la sala, la mamá de Amelia sintió algo terrible —una sensación de mal que la perturbó profundamente.

—Aparentemente ha sido una travesura de *Halloween* —dijo el policía—. No creo que le vamos a hacer ningún cargo. Pero de todos modos, vamos a vigilar a este adolescente.

Esa noche la pequeña Amelia se vistió como un león de la cueva de Daniel y se fue feliz a la fiesta de "Celebración de la Cosecha" en la iglesia.[1]

Parecía que había olvidado todo el incidente.

Pero sus padres sabían lo que había sucedido.

Ellos habían contraatacado.

Y habían ganado.

Hoy día, Amelia es una chiquilla de grandes ojos brillantes, llena de fe, cuyos padres prefieren no mencionarle nada de la aventura de *Halloween*. Hay cosas más importantes para llenar su mundo, tales como historias bíblicas, muñecas y bicicletas.

Ocasionalmente, ella siente un inesperado temor, pero entonces mira para cerciorarse de que alguno de sus padres la está observando desde la puerta.

La batalla de la editorial se perdió. Mucha gente perdió sus trabajos. Otros experimentaron fuertes pérdidas de dinero. Pero el diablo no tocó *Devil on the Run.* Otra compañía, fuerte y prestigiosa editorial *New Leaf Press*, siguió con la impresión del libro y otros títulos míos.

Devil on the Run y la edición en español "Rompiendo la maldición", se han vendido profusamente. Muchos miles de

1 NOTA: En muchas iglesias en los Estados Unidos, se celebra este día de forma diferente, los niños se visten con trajes representando personajes bíblicos y escenifican dramas y disfrutan de juegos y regalos, además de dulces y caramelos, que se reparten en el salón de la iglesia.

ejemplares han ido a las manos del público, y las ventas continúan.

El papá de Amelia, mi amigo Ron, entró a trabajar con mi nuevo publicador.

Y Amelia continúa creciendo fuerte y sana en el Señor, una chica amorosa, llena de fe —quien conoce cuál es la fuente de la verdadera protección.

Capítulo 3

Brujas en nuestro medio

Mannatu Crossing es un pequeño lugar turístico en las montañas de Nueva Inglaterra. Es un pueblo, con una herencia oculta y perturbadora.

En el idioma de los indios algonquinos *mannatu* es el nombre de cierto demonio vengativo que se supone vive en las rocas, manantiales o grutas de Nueva Inglaterra. Ya se ha hecho por lo menos una película, y un episodio de la antigua serie de televisión *The Night Stalker*, que trata con un criminal *mannatu* (deletreado a veces *manitou*) dedicado al derramamiento de sangre.

Las personas de la localidad que pertenecen al movimiento Nueva Era dicen que *mannatu* no puede ser malo, que más bien es un espíritu benevolente, una fuerza espiritual de la naturaleza, o un guardián de la ecología —el sanador a través de las aguas.

Y eso ya puede darles a ustedes una idea de cómo era este pueblo cuando el pastor Tom, y su esposa Leisha se mudaron a él. Los turistas visitaban el pueblo, gastando su dinero en cualquier cosa, desde helados de vainilla a obras de arte, con las bellas montañas brillando en el horizonte.

Nunca olvidaré el día que conocí a Tom y Leisha. Yo estaba celebrando un seminario en el vecino centro comercial y había decidido ir a sudar un poco en los baños de vapor y manantiales de agua caliente, cuya propaganda había visto desde la carretera.

Estaba sentado tranquilamente en el vapor, relajándome, cuando entró un hombre que irradiaba franqueza. Tenía la piel oscura y cuerpo atlético. Pensé que quizás era un italiano de la vecina ciudad de Nueva York.

Yo pensaba en qué clase de problema tendría cuando lo veía hablar animadamente con la asistente. Su locuacidad abría paso para una conversación.

—¿Qué tipo de trabajo hace usted? —me preguntó.

—Soy escritor —le dije.

—¿De dónde es usted?

—De Nueva York.

Su afán evangelístico se hizo notar bien pronto. Me di cuenta de que trataba de predicarme el evangelio cuando me preguntó si yo había leído el libro *La cruz y el puñal.*

Me sonreí un poco y con un guiño le dije:

—Sí, he oído algo acerca de él.

Nos dirigimos a la alberca o piscina de natación donde conocí a su esposa, una rubia delgada y alta, que vestía un modesto y discreto traje de baño.

—¿Cuál es su nombre? —ella me preguntó.

—Nicky Cruz —repliqué.

Su rostro se iluminó con el asombro y le dio a Tom un codazo en las costillas.

—¿Sabes tú quién es este? —dijo.

Y así comenzó una amistad que Dios mismo había dispuesto y preparado. Tom y Leisha se habían mudado de Yonkers, siguiendo la dirección del Señor. El Señor había indicado a Tom que debía trabajar en la formación de una congregación. Ellos habían sido durante años evangelistas. ¿Qué sabían ellos acerca de iniciar una iglesia? ¿Qué sabían acerca de pastorado?

De una cosa me enteré y es que ellos conocían algo del poder del ocultismo. A lo menos, ellos pensaban que sabían.

Tom había conducido seminarios casi en cada denominación en los pasados cuatro años, acerca del ocultismo y el poder del demonio, de la música "rock" y religiones falsas. Estaban acostumbrados a las amenazas, a tratar con demonios y enfrentarse a las fuerzas del mal. Sabían perfectamente cómo contraatacar, o por lo menos pensaban que sabían.

En Mannatu Crossing empezaron un estudio bíblico, teniendo como oyente a una jovencita. El estudio bíblico creció, y pronto tenían reuniones en la sala social del grupo de apartamentos, junto a la piscina, donde muchos fueron bautizados.

Cuando la asistencia llegó a veinticinco personas, pensaron edificar algo y formalizarse como iglesia.

Un joven que se había convertido a través del ministerio de Tom y Leisha, les presentó a su padre, un viejo cristiano lleno del Espíritu, que había estado orando por años por la conversión de su hijo. Estaba tan feliz que su hijo hubiera aceptado a Cristo, que preguntó a Tom y Leisha de qué manera podía ayudar él al ministerio.

Tom le dijo que andaba buscando un buen lugar donde reunirse. El hombre era dueño de un viejo edificio, con un gran patio para estacionamiento, y se los ofreció sin cargo alguno.

Lo que el hombre no dijo fue que en tiempos pasados se había reunido en ese mismo edificio un grupo satánico, que él mismo dirigía.

Este grupo oraba a los viejos *mannatu* del lugar, que ellos suponían era el espíritu sanador de esas montañas.

El *mannatu*.

El demonio de los manantiales del lugar.

El espíritu demoníaco de Mannatu Crossing.

Una herencia terrible, sin duda. Un poder terrible que se cernía sobre toda la zona. El pueblo no podía diseminar las tinieblas ocultas de sus padres fundadores.

Muy a menudo he leído en la Biblia que "el pecado de los padres recae sobre los hijos". En esta manera toda el área de Virginia Beach, en el estado de Virginia en los Estados Unidos, ha recibido bendiciones de Dios, quizás porque los primitivos colonos de Cape Henry dedicaron todo el lugar a la predicación del evangelio.

Y así había sido con el pequeño Mannatu Crossing, excepto que la herencia de ellos era de tinieblas, maldad y demonismo.

Tom y Leisha se dieron cuenta pronto del odio vengativo de los antiguos espíritus maléficos de los manantiales de Nueva Inglaterra.

Aun desde los días de la guerra de Secesión, había habido un fuerte poder demoniaco en la zona, que había atraído místicos y espiritistas, y gente de las ciudades, buscando alguna experiencia oculta, deseando comunicarse con los poderes de las tinieblas. En Mannatu Crossing eran todos bienvenidos.

Todos los años se realizaba una "feria psíquica", que era bien atendida por parte de gente de Boston, Nueva York y Filadelfia. Allí por treinta dólares, podías sentarte a la mesa con una quiromántica, o una mujer con una bola de cristal u otra que adivinara por medio de hojas de té.

El viejo edificio que Tom y Leisha aceptaron, era realmente viejo y derruido, pero estaba libre y era un lugar para empezar la iglesia.

Tom comenzó pegando afiches alrededor del sitio y lugares vecinos, anunciando sus seminarios sobre música "rock" y ocultismo. Con eso pensaba atraer gente.

Sin duda que lo logró.

La gente acostumbrada a ir a Mannatu Crossing para meterse en cosas raras.

Una vez vino un hombre vestido de pies a cabeza de cuero negro, con lentes oscuros, pelo teñido de negro, y un collar de cruces invertidas alrededor de su cuello. Durante los saludos de rigor evitó saludar a nadie, gruñó y murmuró a lo largo de toda la presentación, y conservó siempre una mano dentro de un bolsillo, como si guardara allí un arma. Tom le pidió a uno de los ujieres que se sentara cerca, por si el individuo empezaba a provocar disturbios. Cuando Tom hizo el llamamiento a venir al frente, el hombre se levantó como rayo, corrió a la puerta y se disipó en las tinieblas. Tom y Leisha no volvieron a verlo.

Como tú puedes ver, ellos están en una zona de guerra. Su iglesia se asienta en medio del patio del sumo sacerdote satánico. Ellos [los demonios] tienen territorio donde dominan espiritualmente —territorios que no están literalmente marcados en los mapas pero que existen—. Y sucedió que la iglesia se estableció en medio de la más perversa de las parroquias.

Ellos habían reinado libremente hasta que Tom y Leisha llegaron allí. Anteriormente el sumo sacerdote satánico, había sido tan celoso de su territorio que diariamente ponía a gente adicta para que orara, caminando alrededor, pidiendo la protección de Satanás.

Más tarde Tom y Leisha se enteraron que cuatro iglesias habían intentado establecerse en el lugar, y las cuatro habían tenido que irse. Habían cerrado sus puertas en ese mismo edificio.

Después que un satanista de segunda generación (uno cuyos padres habían sido satánicos) se convirtió al Señor y una antigua bruja llegó a ser cristiana, ¡la iglesia empezó a ser una real amenaza!

Los satanistas empezaron a poner mensajes en color rojo en las ventanas de la iglesia: "¡Vendremos por vuestros hijos!", escribían claramente en los vidrios que daban frente a la congregación durante los servicios. Tom y Leisha siempre llegaban temprano, para ver qué nueva leyenda habían escrito y cómo podían borrarla antes del culto.

¡Tom y Leisha sabían que estaban en guerra!

Entonces empezaron las amenazas de bombas. Después de la primera, la policía desalojó el local. Buscaron la bomba durante horas, pero no hallaron nada.

—Esto es otro de esos casos absurdos —comentó uno de los oficiales.

Tom y Leisha se dieron cuenta de que no podían esperar mucho de las autoridades locales. La actitud oficial indicaba que consideraban el caso como travesuras de adolescentes, que asustaban a religiosos fanáticos, que ellos mismos son un culto o secta rara.

Luego fueron sorprendidos dos hombres, en sus treinta años, pintando de rojo las paredes de la iglesia. No mucho después de eso, alguien rompió con un bate de béisbol los vidrios del auto de un creyente. La policía, en vez de cooperar y defender la propiedad de la iglesia, pareció volverse hostil. Los policías decían estar cansados ya de correr por todo Mannatu Crossing persiguiendo sombras.

Como ningún satanista daba la cara, los policías volcaron su frustración sobre los miembros de la iglesia. Les dijeron que ellos tenían que hacer algo para parar toda la cosa. Si se acababan los problemas, que avisaran a la policía privadamente. ¡Que ya estaba bueno de eso, ya era más de la cuenta!

Por ese entonces, Tom invitó a la iglesia a tener una reunión de oración durante toda la noche. La asistencia fue buena, aun a pesar del temor que sentían muchos creyentes.

Pero al día siguiente todos los autos de la iglesia tenían una citación de la policía por violar reglamentos de estacionamiento. Les aplicaron enormes multas. El mensaje era: *Estamos cansados de este problema ¿por qué no se van de una vez? ¡Váyanse!*

Tom empezó a sufrir de paranoia. Entonces comprendió: era perfectamente natural que todos en los alrededores estuvieran dispuestos a atacarles, ¡porque precisamente ellos estaban allí!

En las próximas semanas:

- la correspondencia de la iglesia empezó a desaparecer.

- los oficiales del condado y los del estado empezaron a inspeccionar el edificio, buscando violaciones a las ordenanzas de incendio y seguridad. Y cada vez se le exigió a la iglesia que hiciera pequeñas, pero muy caras modificaciones.
- la cuenta bancaria de la iglesia se volvió un caos, con depósitos que fueron registrados como extracciones, y una cantidad de cheques que rebotaron para la mayor inquietud de Tom y Leisha.
- el vandalismo aumentó en contra de los hogares de los miembros y el edificio de la iglesia.

Tom y Leisha se preguntaban continuamente por qué el Señor les había dado tal asignación espiritual. Ellos tenían que aprender por qué. Esto los haría a ellos fuertes. Tú debes mantenerte firme en contra de Satanás. Debes saber que tú estás en Dios. Tú debes ser fuerte por el Poder de El que está en ti.

Tú debes saber... *que tú sabes.*

Y por qué lo sabes. Tú debes estar firme como una roca, inamovible, parado sobre tus pies con toda firmeza, con plena confianza en Dios, y en quien realmente El es. ¡Todo poder te ha sido dado a ti! ¡Los agentes demoniacos del infierno son mandrias delante de Dios! ¡Toda su bravuconada es una farsa en la faz del Todopoderoso!

No hay lugar en esta guerra para los débiles y apocados. No hay lugar ni aun para la idea de coquetear con el pecado.

La santidad es un deber, debe darle sentido a tu vida.

Tú tienes que ser sin culpa.

Pero esto no es tarea fácil para seres humanos.

Yo peco.

Yo lo hago. Tú también, sea que quieras admitirlo o no. Ocasionalmente le grito a mi señora, cuando debía ser paciente, y comprensivo. Y no siempre aprovecho la oportunidad de testificar a las camareras de avión o de hotel.

No soy perfecto.

Pero he aprendido que tengo que ser cuidadoso. ¡No tengo que dejar que la avaricia se deslice en mí y dañé mi testimonio y ministerio!

Tú y yo no podemos hacer fraude en nuestros impuestos, porque así estamos coqueteando con el reino no santo de Satanás, y eso es lo que él está esperando y vigilando. ¡El lo sabrá y lo verá! ¡La experiencia nos ha enseñado cuánto el Señor nos deja sufrir las consecuencias de tal pecado!

El Señor amaba a David tiernamente. Pero lo dejó sufrir las penosas consecuencias de haber cometido adulterio con la mujer de otro hombre.

El Señor amaba tiernamente a Adán y Eva. Pero los dejó sufrir las consecuencias de mordisquear el fruto del árbol prohibido.

Y tú y yo podemos mencionar a dos o tres grandes evangelistas ganadores de almas y estrellas de televisión, que han caído en pecado, a quienes el Señor les ha permitido sufrir las consecuencias legales y humanas de su pecado.

Si tú estás batallando eficazmente contra el reino de Satanás, pero engañas en tu declaración de impuestos, bien pronto el Instituto de Impuestos de los Estados Unidos estará golpeando a tu puerta,1 Esto es un impuesto federal y conlleva grandes penas cometer fraude o burlarlo, y junto con él el *New York Daily News,* el programa de TV *60 Minutes, Geraldo Rivera y CNN.* Todos medios noticiosos de los Estados Unidos. El Señor se pondrá detrás y Satanás se meterá con la fuerza de una máquina de vapor.

Tom y Leisha aprendieron algunas lecciones duras.

Y cuando resistieron las terribles tentaciones del pecado, él los atacó por el lado de las finanzas, de su fuerza física, de sus espíritus, y de su salud.

1 Nota: En los Estados Unidos hay que hacer una declaración de impuestos sobre los ingresos personales a través de la forma 1040, durante los primeros tres meses de cada año.

Yo no creo que cada enfermedad y cada malestar es acción directa de Satanás. Algunas son consecuencia de nuestra propia negligencia, o del mundo que nos rodea, malo y malsano. Pero cuando Leisha se quemó el brazo eso fue ataque directo de Satanás.

Se hallaba preparando la cena con una sartén con aceite, cuando recibió un llamado telefónico. Apurada, pensó que había apagado la salida del gas de la estufa cuando en realidad la había abierto más. Cuando levantó la sartén se derramó el aceite hirviendo en el brazo. Lanzó un agudo grito de agonía y cayó al piso retorciéndose de dolor. Empezó a temblar. La bañó un sudor frío y su visión se empañó.

Se arrastró hasta el teléfono y llamó a la oficina de la iglesia. El teléfono sonaba ocupado. "¿Qué puedo hacer?" —se preguntó espantada. Creyó que iba a desmayarse. Marcó el número de nuevo pero en vez de la iglesia se comunicó con el cristiano dueño del edificio.

Leisha gritó algo ininteligible. Pero el hombre entendió que algo malo pasaba en la casa pastoral.

Leisha quedó en el piso de la cocina en estado de conmoción. Tom llegó enseguida. Ella pasó la noche con terribles dolores, pero no requirió hospitalización, aunque tenía quemaduras de tercer grado. A la semana estaba ya casi repuesta.

El domingo llegaron los dos, como siempre, bien temprano para inspeccionar toda la iglesia. Uno de los principales vendedores de droga de una gran ciudad vecina, quien era un bien conocido satanista, los estaba esperando en la puerta.

Se preguntaron qué se propondría el hombre.

"Quizás sea salvo hoy" —pensaron. Cuando salieron del auto el hombre se dirigió directamente a Leisha. Mirando el vendaje de su brazo le preguntó:

—¿Qué fue lo que le pasó?

—Me quemé con aceite.

—¡Lo sé! —dijo el hombre con maligna sonrisa—. Después rompió a reír histéricamente.

Rápidamente, Leisha lo reprendió en el Nombre del Señor. El hombre dio vuelta y salió pavoneándose.

Entonces, una noche, el dueño del edificio los llamó a la iglesia. Este suave y gentil hombre de Dios se veía afligido cuando los condujo a la oficina de la iglesia, para mostrarles lo hecho por un individuo que se había metido adentro.

Leisha suspiró como si hubieran colocado un peso en su pecho. ¡Su escritorio estaba revuelto! Había papeles desparramados por todos lados, arrugados y embarrados con pasta de dientes. La gran ventana detrás del escritorio está toda manchada de goma de pegar y varios sermones de Tom estaban adheridos a ella con la misma pasta.

Las macetas con plantas estaban dadas vueltas, las plantas estropeadas y la tierra regada por todo el piso. ¡La vista era desconsoladora!

Sorpresas como esta ocurrían a diario.

Cuando la membresía empezó a bajar, Tomo tuvo que hacerse cargo de dos trabajos para mantener la congregación a flote financieramente.

Un día, el hijito de cuatro años, Josh, estaba con Leisha en la oficina, y dijo que quería ir al baño en el pasillo.

De pronto Leisha oyó un agudo grito muy familiar y saltó de su silla. Miró hacia el pasillo y alcanzó a ver una mujer que agarraba a Josh por la cintura y salía corriendo. El niño se soltó de la mujer y corrió a la oficina, donde abrazó a su mamá tan fuerte como podía.

—Mami, esa fea señora me agarró muy duro —dijo el niño—. Trató de sacarme pero yo hice lo que tú me has enseñado. Grité y patié y la reprendí en el Nombre de Jesús.

Leisha describe ese momento como algo que nunca se borrará de su memoria.

Ella decidió que ya era más que suficiente.

Esto era ya demasiado.

Ellos no podían tocar a Josh.

Era tiempo de renunciar.

¡Oh, la conversación que ella tuvo con Dios!

¿Los había enviado Dios aquí para sacrificar literalmente a su familia? Pero los brillantes e inocentes ojos de Josh, y su manera orgullosa de contar cómo se había librado de esa mala mujer, y la manera como Jesús lo había librado, despertaron esperanza en ella.

¡Oh, si ellos pudieran tener la fe de un niño!

—Yo hice lo que tú me dijiste, y eso anduvo bien! —dijo el pequeño.

Sí, la cosa puede andar bien.

Y aquí está la clave, simplemente hacer, diariamente, lo que el Padre te dice.

Obediencia.

Creyendo que si El lo dijo, entonces se hará.

¡El es quien dice que El es!

Capítulo 4

¿Peleando con la fuerza de Dios?

En los meses arduos que siguieron, el texto del Salmo 5:11-12 les dio gran fortaleza a Tom y Leisha.

> *"Pero alégrense todos los que en ti se refugian; para siempre canten con júbilo, porque tú los proteges; recocíjense en ti los que aman tu nombre. Porque tú, oh Señor, bendices al justo, como con un escudo lo rodeas de tu favor".*

¿Contra qué estaban luchando Tom y Leisha?

Contra ocultistas, satanistas, brujas —algunos auténticos— practicantes reales de las artes de las tinieblas.

Cierto, ellos existen.

Son personas de carne y hueso, igual que nosotros.

Algunos de los que vinieron en contra de Tom y Leisha fueron brujas modernas, seguidoras de la "antigua religión" *wicca*, o sean los seguidores de la "Madre Tierra", que viven en las cavernas vecinas. Algunos tienen trabajos profesionales en la ciudad.

Uno de esos grupos está muy bien financieramente, y apoya la educación universitaria de sus miembros, con el determinado intento de poner brujas en posiciones de influencia y de poder en el periodismo.

Cuando Tom y Leisha empezaron a testificar públicamente, a conducir seminarios sobre el engaño del ocultismo, y a confrontar a individuos verdaderamente extraños, quedaron asombrados de la cantidad de gente que están involucrados en el ocultismo.

Pero Tom y Leisha tienen un arma que los Druidas, Rosacruces, nigrománticos, taoístas, Sikhs, psíquicos, esters, teósofos, astrólogos, fumadores de *ganja,* budistas Zen, gnósticos, wiccans, y los de meditación trascendental no tienen: *amor.*

Tom y Leisha oran pidiéndole a Dios que les dé un amor del tipo del amor de Jesús para los peores perturbadores.

Y hallaron que los ocultistas, por lo general, tienen una cosa en común. Todos ellos han sido ofendidos, de una manera u otra, por cristianos fanáticos y vengativos, y por tanto ellos buscan hallarle algún sentido a la vida y la "verdad cósmica".

No hay nada de malo con la verdad cósmica. Permíteme decirte una verdad cósmica: *¡El Todopoderoso Dios creó el cosmos, incluyéndote a ti, y te ama tanto, que ha enviado a Su Hijo, para ser incomprendido y martirizado por causa de ti, para que tú puedas conocer Su amor, aceptar este amor, y pasar luego toda la eternidad disfrutando Su amor!*

Muchas de estas personas son recelosos de los cristianos. "Deseo conocer la verdad" —dicen ellos cuando se encaminan al budismo Zen, o a *wicca,* o a la astrología o a la numerología o el espiritismo—. "Esta cosa funciona" —dicen ellos—, "el cristianismo no".

Todos ellos han sido, y son engañados, porque los han engañado en su intento de conocer la verdad real, provocándoles excitación y visiones engañosas de "iluminación".

Y estas cosas nunca las hallaron realmente en las antiguas y muertas iglesias de su infancia.

Yo lo comprendo.

Cuando era niño odiaba a la iglesia. Ocasionalmente fui echado de la misa en días festivos, tales como la Navidad.

Y pude espiar también cuando mi padre hacía sus ceremonias espiritistas demoniacas en los bosques de nuestro Puerto Rico, la hermosa isla caribeña. Todas las veces ocurrían cosas fantásticas, impresionantes. En medio de escenas de aquelarre mi padre ordenaba a los demonios salir de una persona, y podía exprimir las entrañas de pequeñas ranas sobre la pierna infectada de alguno, y ver salir de la pierna sapos y ranas que corrían a esconderse en las tinieblas.

Como tú puedes leer en mi libro *Rompiendo la maldición*[1] donde narro cosas de mi infancia, mi padre sacaba espíritus inmundos de personas enfermas y esos espíritus entraban en mi madre, que se ponía a gritar y maldecir, y a decir toda clase de cosas diabólicas hasta que él daba órdenes a los espíritus que se fueran al infierno.

Después que mi madre se convirtió al evangelio, hablamos mucho acerca de aquellos años. Ella no estaba simulando nada —me dijo—. No estaba haciendo teatro. Seres infernales, grandes y terribles, se apoderaban de su mente y de su cuerpo. Y salían de ella sólo cuando mi padre se los ordenaba.

Y debido a que mi padre no era cristiano, cuando salía el demonio dejaba el lugar para que la invadieran cosas mucho peores.

Yo sabía que todas estas cosas no eran triquiñuelas. Eran reales, verdaderamente reales. Satanás tiene poder. ¿Por qué piensas tú que la Biblia habla tan fuertemente contra la

1 Editorial Carisma

hechicería? Si fueran sólo juegos inocentes el rey Saúl no hubiera perdido su reino por consultar una hechicera.

No, el Nuevo Testamento equipara la hechicería con el asesinato y el adulterio.

Es real.

Poderoso.

Peligroso.

Y prohibido.

Pero Dios es más poderoso. Y El siempre gana.

De modo que si tú quieres estar en el equipo ganador, olvida el satanismo. El Todopoderoso Dios que creó a Lucifer y toda la hueste de demonios que le siguen, puede —y un día lo hará—, arrojarlos a todos al lago de fuego donde sufrirán castigo de eterna perdición, y de donde nunca más saldrán.

Lucifer, Satán, diablo, Belcebú, como quieras llamarle a este ser maligno, trató una vez de apoderarse del cielo, y librarse del control de Dios.

Pero esto fue lo mismo que si un chico de cinco años quisiera apoderarse del jardín de infantes. Podría gritar mucho, patalear y hacer mucho ruido, pero, ¿quién ganaría? ¡La maestra!

Pero eso no priva al chiquillo de cinco años de intentar la cosa. Y es lo mismo con Satanás. En su gran rebelión y amargura quisiera causar tanto daño como puede, aun cuando está seguro de que tiene la batalla perdida.

Así fue con el ataque que llevó en contra del pequeño esfuerzo evangelístico de Tom y Leisha. Satanás no podía ganar.

Pero por cierto, hizo un montón de cosas.

A pesar de todos los ataques satánicos la iglesia comenzó a crecer hasta tener cincuenta y dos miembros. Muchos de ellos eran ex ocultistas que habían sido convencidos por el paciente amor de Tom y Leisha del verdadero poder del Espíritu Santo. Ellos pudieron ver que nuestro Señor es mucho más poderoso que Satanás, y por cierto, mucho más amoroso.

Las demostraciones de poder diabólico que habían experimentado palidecieron ante el gozo y la paz que Jesús les dio, y el poder que creció dentro de ellos por virtud del Espíritu Santo.

Entonces Leisha tuvo un sueño.

En ese sueño ella y Tom fueron invitados a cenar en casa de uno de los miembros. Leisha no estaba segura de quién era, solamente sabía que era uno que servía en la iglesia.

Cuando Tom y Leisha llegaron a la casa, los dueños les mostraron todas las habitaciones. Pero cuando llegaron al dormitorio principal, el ama de casa bloqueó la puerta. Les dijo que había estado trabajando todo el día, y no había tenido tiempo de ordenar su dormitorio, por lo cual era mejor que no lo vieran.

Todos se rieron naturalmente, y entonces se dirigieron al patio posterior, donde estaba la parrilla con la carne asándose.

Leisha, en su sueño, salió del patio y entró a la casa buscando el baño. Desorientada dentro de la casa, abrió la puerta del dormitorio en vez de la del baño. Para su sorpresa vio un altar dedicado a Satanás, arreglado con velas que ardían, una calavera humana y un gran pentagrama que cubría una pared entera de la habitación.

Leisha despertó horrorizada. Llamó a Tom y entonces los dos juntos oraron pidiendo sabiduría y discernimiento.

Ella sabía que ese sueño era del Señor.

Sin embargo, discernir el significado real del sueño era harina de otro costal. ¿Significaba el sueño que alguien en la iglesia era un satanista? ¿O era simplemente simbólico? O quizás era un engaño de Satanás para hacerlos dudar de un buen amigo. O quizás era que había comido demasiada pizza la noche anterior.

No. Tom y Leisha tenían la seguridad de que el sueño venía del Señor.

Fue un tiempo difícil para el joven matrimonio. No podían permitir que los sobrecogiera un espíritu de temor, o que la sospecha les robase la libertad y el compañerismo.

Después de intensa oración y ayuno, les fue mostrado el infiltrado.

La infiltración es táctica común entre los ocultistas. Ellos envían un miembro suyo a una iglesia que está mostrando ser una amenaza, especialmente si está ganando adolescentes que han sido iniciados ya en la práctica de las artes ocultas.

Sé de brujas que se comportan como un cristiano, hablan como un cristiano, asisten a la iglesia como cristianos y aun conocen la Biblia mejor que tú y yo.

Llegan a ser unos de los mejores servidores de la iglesia, y hasta te ganan el corazón, pero mientras tanto están trabajando para destruir la congregación. Su primera táctica es emplear el chisme y la murmuración, y difundir así sospechas y confusión en la iglesia.

¿Cómo podemos defendernos de esta clase de ataques? Se supone que el mundo debe conocer a los cristianos por su amor, ¡no por nuestra paranoia! En la historia norteamericana tenemos el caso de las brujas de Salem, Massachussets, y cómo muchos cristianos fueron cogidos en este problema. Y como resultado ejecutaron a varias muchachas inocentes, arrastrados fanática y ciegamente por su deseo de cumplir con la Biblia.

¡En el día de hoy, si creemos que Jesús vino a buscar a los perdidos, no vamos a expulsar de la iglesia a cada chismoso pensando que es un brujo disfrazado!

Tom y Leisha descubrieron, a través de ese sueño, que un miembro de la iglesia estaba tratando de destruir la obra a sus espaldas. Daba fiestas en su hogar. Ofrecía grandes cenas, que tenían de postre una sarta de chismes y habladurías, criticando la autoridad del pastor, el orden en la iglesia, la belleza de la adoración al Señor, y todo lo que fueran orden y armonía.

Y esta persona era un satanista practicante, tal como lo había soñado Leisha.

Así que, ¿cómo echaremos a un satanista de la iglesia? Después de todo, ¿no vino Jesús a buscar a los pecadores? El vino a eso.

¿No reprendió él a los líderes de su tiempo cuando ellos criticaron la manera en que Jesús se mezclaba con la gente de la calle, las prostitutas y los desechos de la sociedad? En

Lucas 5:30-31, leemos que los fariseos murmuraban contra Jesús "porque comía y bebía con publicanos y pecadores".

Jesús les replicó entonces: "Los sanos no tienen necesidad de médicos, sino los enfermos. No he venido a llamar a justos, sino pecadores al arrepentimiento".

Cuando Tom descubrió que había un satanista en medio de la iglesia, tratando de destruirla... ¿qué fue lo que hizo?

Bien, como tú puedes leer en mi libro *Destined to Win* (Destinado a ganar) nosotros los cristianos estamos obligados a seguir normas excelentes al tratar con cualquiera que está causando problemas.

El fondo del asunto es que se requiere de nosotros que seamos misericordiosos.

Primero, tenemos que ir al ofensor u ofensora y concederle el beneficio de la duda. Mateo 18:15, Romanos 14:1 y Gálatas 5:10 dejan muy poco campo a la imaginación. Yo debo ir a mi hermano privadamente, y decirle francamente lo que pienso que anda mal. Debo hacer esto humildemente, como si no estuviera bien seguro de lo que estoy hablando.

Si él se arrepiente, yo tengo que perdonarlo y olvidar, de acuerdo a 1 Tesalonicenses 5:14 y 2 Corintios 2:6-11.

Si él afirma que no ha hecho nada malo y es inocente, tú tienes dos opciones. Puedes dar la cosa por cierta, reconociendo que tú estuviste mal, o de acuerdo a Mateo 18:16, puedes volver a hablar con él, pero esta vez llevando a dos o tres testigos, y oír su caso por segunda vez. Pero no lleves contigo a uno que le gusta acusar y condenar, o una que es feliz cuando puede llevar a otro a "fusilarlo al paredón".

Toma contigo a algún cristiano bueno, sólido, maduro, que conoce la Biblia, y que pasa tiempo sobre sus rodillas, alguien que sea lo suficiente recio como para decirte a ti que debes pedir disculpas a tu hermano y dejarlo solo. Y tomar dos testigos es una idea mejor, asumiendo que tú quieres jugar limpiamente y no disfrutar de una fiesta de linchamiento.

Y mejor todavía, lleva contigo a un anciano de la iglesia, o un diácono, alguien que tenga verdadera autoridad moral y espiritual.

Si tú andas deseando satisfacer un rencor personal, o estás haciendo política en la iglesia, te estás buscando grandes problemas espirituales. Los cuatro evangelios te dicen la misma cosa acerca de lo que Dios piensa de los cristianos que deliberadamente tratan de dañar a otros cristianos, y lo que hacen es hacerlo tropezar en la fe:

> *"Pero al que haga tropezar a uno de estos pequeñitos que creen en mí, mejor le sería que le colgaran al cuello una piedra de molino de las que mueve un asno, y que se ahogara en lo profundo del mar".*
>
> Mateo 18:6

Si los testigos que llevas concuerdan contigo en que el inculpado está mal, y él rehúsa arrepentirse o someterse, entonces lleva el asunto delante de toda la iglesia, de acuerdo a Mateo 18:17. En este caso es mucho mejor si uno de los testigos es el pastor de la iglesia o uno de los ancianos. Nadie está ansioso de arrastrar a un compañero en la fe a un tribunal. En estos días es muy peligroso acusar sin mayor fundamento. Uno puede ser llevado al tribunal acusado de difamación o daño moral. Por eso es muy importante que uno de los testigos sea persona de mucha autoridad en la iglesia, para que ésta no sea arrastrada a problemas en los tribunales.

Entonces, ¿qué sucede?

Mateo nos dice claramente que hay que llevar a votación y expulsar enseguida de la iglesia al culpable, aunque en el día de hoy cualquier grupo tiene su propia interpretación del asunto. Esto es lo que dice el evangelio de Mateo:

> *"Si no oye a la iglesia, tenle por gentil y publicano".*
>
> Mateo 18:17

De manera que si el inculpado rehusa aceptar el dictamen de la iglesia debe ser tratado como un inconverso.

¿Y cómo debemos tratar a los inconversos?

Debemos amarlos y tratar de convencerlos de lo equivocado de su camino.

Por otra parte, si alguien es traído delante de la iglesia, 2 Corintios 2:7-8 nos dice cómo debemos tratarlo:

> *"Así que, por el contrario, vosotros más bien deberíais perdonarlo y consolarlo, no sea que en alguna manera éste sea abrumado por tanta tristeza. Por lo cual os ruego que reafirméis vuestro amor hacia él".*

Haciendo esto es posible sacar a la persona de la membresía de la iglesia sin dejar de tratar con él. La primera carta a los Tesalonicenses dice que debemos ser pacientes con los extraviados. Segunda Tesalonicenses 3:6,14-15 nos recomienda no asociarnos con esa persona. Pero no debemos calificarlo como enemigo, sino amonestarle como a hermano.

Con todo esto en mente, ¿qué harás tú con alguna bruja que se haya metido en la iglesia, alguien que está tratando de destruirla?

Cuando Tom se dio cuenta de este problema en su iglesia, su única alternativa era confrontar al ofensor francamente.

¡Tú debes hacer frente a ese mal, cara a cara! ¡El Señor nos ha dado una armadura completa, no una que cubre solamente la espalda! ¡No hay lugar en la batalla para los cobardes! ¡La confrontación es un deber! Tom confrontó a tal persona, diciéndole lo que sospechaba.

El causante de problemas se rió en su cara.

¡Era obvio que él deseaba ser expulsado de la iglesia por Tom, en el Nombre del Señor, así podía resolver toda una serie de problemas!

Deseaba probar a la torpe comunidad que los cristianos hablan mucho pero aman poco.

Deseaba demostrar que Jesucristo no tiene autoridad, no tiene poder, no tiene habilidad para combatir el mal.

Por eso Tom hizo un arreglo:

- Tenía que sacar el problema fuera de la iglesia.
- Tenía que ser fuerte y justo.
- Y *tenía que hacerlo con amor.*

Llevó uno de los ancianos con él y definitivamente enfrentó al individuo, con estos hechos:

- El andaba chismeando constantemente.
- El parecía andar siguiendo una agenda, invitando a cenar a cada miembro de la iglesia, aprovechando la ocasión para sembrar dudas en cuanto a la integridad del pastor, la conducción del servicio, la teología de la iglesia. Habló también de que el Servicio de Impuestos del país estaba investigando a la iglesia, y que este o aquel otro matrimonio estaban teniendo problemas, que alguno había fumado marihuana con su hijo adolescente de doce años, y todo tipo de cosas.
- Y se le dijo también que había rumores de que tenía un altar dedicado a Satanás en su propio dormitorio.

La tal persona se les rió en la cara. Entonces amenazó: "Traten de sacarme de la iglesia, y yo les deshago la congregación".

En la próxima reunión congregacional el hombre invitó a los periodistas. Trajo también su abogado. E hizo una parte dramática de tal manera que le hubiera valido un premio Oscar[1]. Se puso a llorar, suplicó que lo perdonaran, clamó por comprensión —y defendió su creencia en el satanismo.

—¡Este es todavía un país libre —dijo mientras las lágrimas le corrían por las mejillas—. ¿No es acaso la libertad

1 Una estatuilla que se da como premio a los mejores actores y actrices, además de mejor película, etcétera en Hollywood.

religiosa por la cual los héroes de nuestra revolución pagaron un precio de sangre? ¿No es por ella que los peregrinos llegaron a la Roca de Plymouth? ¿Y para qué William Penn fundó Filadelfia? Mis amigos, mis hermanos cristianos, no me echen de la iglesia sólo porque mis creencias son un poco diferentes de las vuestras. Por favor, acéptenme.

»Por el bien de ustedes mismos. Por vuestros hijos. Por Norteamérica.

¿Que hubieras hecho tú? Bien, Tom miró hacia las cámaras de televisión y empezó a orar:

"Padre" —dijo—, "¿yo estoy equivocado? Muéstranos la verdad en esta noche. Muéstranosla claramente. No permitas que quede ninguna duda en ninguna mente.

"Señor, Tus ángeles libraron una dura batalla siglos atrás contra las fuerzas de Satanás. Envíalos otra vez esta noche para combatir las fuerzas de confusión y temor. Abre nuestros ojos a la verdad. Tu Escritura nos dice que no debemos ser cándidos e ingenuos, porque Satanás está empleando todavía sus engaños contra la iglesia para destruirla.

"En el libro de Tito, en la Biblia, Tú nos dices que si alguien viene a nosotros con enseñanzas contrarias a la Biblia, particularmente la gran mentira de que Satanás es bueno, que nosotros debemos rebatirlos con mansedumbre y firmeza. Y si él no se calla, entonces nosotros, Señor, lo dice la Biblia, debemos despedirlo de nuestra congregación, y no tener más nada que ver con él.

"Señor, dame sabiduría ahora. ¿Es mi hermano un seguidor de Satanás? Si es así, ¿debo yo ignorar Tu Santa Biblia? ¿O debo ordenarle que se vaya y que nos deje en paz? Amén".

Y diciendo esto, Tom miró hacia la congregación. Podía oírse aun el caer de una gota de agua. Una dulce ancianita de blancos cabellos se puso de pie, levantando su mano. Las cámaras de televisión la enfocaron.

—¿Sí, Beulah? —dijo Tom.

—Pastor Tom —dijo ella, de pie, con sus ojos relampagueando y su voz fuerte y firme—. Mi tatarabuelo peleó en la guerra, junto a Ethan Allen y sus muchachos de las Green

Mountains (Montañas Verdes). Mi abuelo perdió una pierna en la batalla para tomar el Fuerte Ticonderoga de los Red Coats (Casacas rojas). Yo sé lo que significa pelear por la libertad.

Entonces se dirigió al satanista:

»Joven —le dijo hablando como una abuela—. Si tú vienes a una de nuestras reuniones de las Hijas de la Revolución, y empiezas a decir a esas jóvenes mujeres que Benedict Arnold fue un incomprendido, que Adolfo Hitler era una buena persona, y que el Ayatollah Khomeini está haciendo la mejor cosa por América, bien, ¡nosotras vamos a darte un buen golpe en la oreja!

»Y la cosa no es diferente aquí, en esta pequeña iglesia, joven. Mis antepasados pelearon y murieron para que tú puedas adorar a Satanás, o a Caspar (Gasparín) el duende, o aun las propias uñas de tus pies si se te antoja. Pero ellos también pelearon por el derecho de adorar en paz. Esta es la real razón por la cual William Penn fundó Pensilvania y por qué Roger Williams llevó su gente a Rhode Island. Para que ellos pudieran adorar a Dios sin disturbios provocados por mala gente. Tú necesitas ir a adorar en tu propia manera donde tú gustes, y déjanos a nosotros adorar como nosotros queremos.

Fue algo bello.

Aun los camarógrafos aplaudieron.

El satanista miró a la anciana con una mirada de desprecio. Luego dijo:

—Debe saberse que usted ha estado bajo tratamiento psiquiátrico por veinte años. Su propio hijo trató de internarla.

Hubo un silencio impresionante.

Beulah se paró cuan alta era, 1.60 metros.

—Sí —dijo con voz firme—. Pero por el poder de Jesucristo he sido liberada. Durante veinte años creí que era una bruja blanca. Ahora sé la verdad. He salido de su culto diabólico. Ahora sé por qué he estado medio loca. Jesús me ha librado. Buscó algo en su cartera.

—Mira aquí, joven —dijo mostrando una tarjeta de registro de votante—. Cinco años fui declarada incapaz de valerme a mí misma. Pero por el poder de Jesús, mi doctor me ha quitado todos los medicamentos, los tribunales me han devuelto todos mis derechos, y ya tengo mi registro de votante otra vez.

»Estoy libre por el poder sanador de Jesucristo. Soy libre, sí, libre sin duda ninguna. En el nombre de Jesucristo.

¡Tremendo!

Y algo interesante sucedió. Cada vez que Beulah mencionaba el nombre de Jesús el satanista parecía encogerse, mirar de soslayo y con desprecio. Terminó hundiéndose en su asiento.

Lanzando una maldición contra Dios, vomitó veneno sobre Tom.

—¡Tú (obscenidad), tú no tienes (obscenidad) para tratar de sacarme de aquí —dijo silbando. Tú (obscenidad) tú y tu loca, (obscenidad) gente están siguiendo a (obscenidad) un dios muerto!

—¡No, Jesús vive! —exclamó Tom—. Y por el poder de Su santo Nombre, en el nombre de Jesucristo quien murió por ti, yo te digo, vete y practica tus creencias donde quieras. En el nombre de Jesús, vete, mi amigo. Y sabe esto, nosotros te amamos.

El satanista se retiró lanzando insultos y maldiciones, y amenazando hacerle juicio a la iglesia. Pero su abogado siguió sentado, esperando que Tom dijera algo para tener algo de qué acusarlo y llevarlo a los tribunales.

Obrando con la sabiduría del Señor y con el poder del Espíritu Santo, Tom no cometió ninguna tontería.

Aborrecía todo lo que hacen las brujas. Pero tenía que pasar por alto todos los ataques e insultos y ver en ellas sólo gente herida por la vida, a quienes Jesucristo ama.

Y Tom tenía que amarlas igualmente, con el mismo amor de Jesús.

Los que siguieron fueron varios difíciles años.

Por lo menos dos infiltrados más entraron a la iglesia con intención de ocasionar problemas.

Uno fue un "cordero herido", necesitado de compasión. Después que le dieron a esta mujer alojamiento, le proveyeron comida, le dieron dinero en efectivo, empezó a hacer sutiles acusaciones de que Tom había hecho avances sexuales sobre ella.

¡Pero la primera persona a la cual quiso convencer la reprendió severamente! Los miembros de la iglesia de Tom llegaron a formar un pequeño y bravo ejército de oración, quienes saben ahora cómo identificar el mal y cómo tratarlo bíblicamente.

El tercer infiltrado fue convertido.

Genuinamente.

Bellamente, con lágrimas, honestamente, semanas después de entrar.

Era la segunda generación de satanistas.

¡Qué gloriosa victoria!

Pero el asalto no cesó.

Capítulo 5

Traicionado por amigos

Tom y Leisha no sabían, cada día, a qué nuevo ataque tendrían que hacer frente. Leisha mantenía la puerta de la oficina bien cerrada a causa de las muchas amenazas que habían recibido sobre sus vidas. Constantemente hallaban mensajes en la grabadora automática de llamadas telefónicas, amenazándolos con matarlos si no abandonaban el pueblo.

¡Los satanistas deseaban recuperar a sus miembros!

A cualquier costo.

Seguían a los antiguos infiltrados, ya convertidos, hasta los servicios de la iglesia, amenazándolos de muerte. A veces Leisha encontraba al regresar al hogar, mensajes escritos con sangre en la puerta de la calle.

Una noche Tom regresaba de un servicio en la iglesia cuando de repente se le apareció una mujer. La mujer empezó a maldecirlo.

Con serena confianza Tom la apuntó con el dedo y dijo:

—¡Te reprendo en el nombre de Jesús, y te mando que salgas de ella!

La mujer dio media vuelta y se fue.

Como podemos ver Satanás siempre está tratando de agarrarnos descuidados. Debemos estar listos para el contraataque a tiempo y fuera de tiempo.

Una vez Tom llevó a los chicos de la iglesia a jugar a un parque cercano. Un hombre poseído por un demonio trató de interrumpir.

—Así dijo el que ha creído y visto, ¡sí! —dijo el hombre hablando como un poseso—. ¡Ay te ti que vienes a ver y no entras! He aquí yo digo que nuestras producidas oraciones no serán concedidas a esta generación: no juzguéis.

Vez tras vez el hombre lanzó una serie de palabras que parecían sonar como sagradas, pero eran un enredo de cosas que no significaban nada.

De nuevo Tom ordenó al demonio que saliera del hombre, en el nombre de Jesús. El hombre enmudeció y se fue.

Tom estaba aprendiendo. ¡No hay que cederle a Satanás ni una pulgada! Sé fuerte, valiente, defendiendo el terreno que Dios te dio.

Y tienes que hacerlo así en tu vida personal también.

Tienes que ser sin culpa.

Porque Satanás es el acusador.

Sus acusaciones lastiman. También serás mal comprendido. Aun amigos cristianos comenzaron a criticar a Tom acusándolo de "anticristiano" "no amoroso" y "duro de corazón" e insensible con los pobres satanistas que rompían los vidrios de su auto, vandalizaban la iglesia y aterrorizaban a los creyentes.

—Se supone que tenemos que dar la otra mejilla —decían a Tom pastores amigos.

Ellos no comprendían que día tras día, en el poder del Señor, Tom hacía justamente eso, dar la otra mejilla amando a los que lo despreciaban, querían verlo muerto, su esposa destituida y sus hijos inclinándose a Satanás.

¿Debía él siempre dar la otra mejilla?

Hermano, mejor que no le des la otra mejilla al diablo. ¡El puede estropeártela! ¡Nosotros tenemos permiso para contraatacar! Pero tenemos que hacerlo en el poder de Dios, tal como he estado tratando de demostrarlo contando estos ejemplos de Island Pond y Tom y Leisha.

Sí, podemos contraatacar. En el tiempo de Dios.

Bajo su guía.

En Su fortaleza.

No se nos pide que amemos el mal ni las malas acciones. Debemos tener compasión por el malhechor, por el pecador, que ha sido cogido en un engaño, pero delante de la faz del mal mismo, tenemos que ser duros. Mientras tanto, amemos al autor del mal y busquemos su conversión.

Quizás la prueba más dura que sufrieron Tom y Leisha fue cuando sus mismos amigos cristianos se volvieron contra ellos.

Y estos fueron colegas pastores que se tornaron críticos agresivos. "Para toda esta confrontación; descansa en el Señor" —decían. Palabras que se dicen fácilmente con los labios. Tom tenía que derramar lágrimas de ira. Su ministerio estaba creciendo y se hacía más efectivo. Se convertían adultos y jóvenes metidos profundamente en el tráfico de drogas, en películas de pornografía infantil, de horror, de sadismo, locura, asesinato y sacrificios de sangre.

Drogadictos, espiritistas, adúlteros, vuduistas, ladrones, brujas, todos estaban viniendo a Jesús y abandonando para siempre su danza con las tinieblas... lo mismo que su demasiado común, por desgracia, explotación y engaño de gente que buscan la verdad.

Muchos matrimonios se componían y entraban por la buena senda, la situación económica de muchos mejoraba y por ende las de la iglesia, y había bautismos todas las semanas.

Y todavía, cuando la asistencia a la iglesia pasaba de cincuenta, amigos predicadores y pastores decían a Tom y Leisha que estaban "fallando".

¡Esto era más difícil de soportar que las leyendas de color rojo escritas en las ventanas! Uno puede comprender los ataques del enemigo porque es enemigo. Pero cuando son amigos los que atacan, la prueba se hace mucho más difícil.

Tom y Leisha realizaban su ministerio pastoral sólo para recibir heridas y sinsabores.

—Tom, tú no puedes edificar una iglesia que valga la pena con esa gente —le decían pastores amigos—. Tú necesitas gente joven, profesionales que ganen bien para edificar una iglesia el día de hoy. Necesitas gentes con dos salarios, para que den ofrendas abundantes.

El joven matrimonio tenía que hacer esfuerzos para no caer en amargura. El diablo estaba usando sus propios amigos para abatirlos.

Y la cosa funcionaba.

Finalmente, una gran iglesia que los patrocinaba les quitó el sostén financiero después de una sesión de negocios en que Tom y Leisha fueron rudamente criticados, y destrozados emocionalmente.

Pero volviendo a casa en el automóvil, decidieron ambos seguir luchando juntos en el nombre de Jesús. Dios era su fuente de recursos, no la gran iglesia de la ciudad que no comprendía nada.

Muchas veces tú te sentirás solo en la lucha.

¡Este es el momento de ser muy cuidadosos! Debes mantener muy buenas relaciones con los creyentes que comparten la carga contigo. Necesitas intercesores que oren por ti. Pídele al Señor que te mande unos cuantos.

Pero no te creas —te repito— un Llanero Solitario. Tú no puedes luchar y triunfar solo.

Al diablo le gusta jugar juegos con tu mente. Si él puede hacerte creer algo que él ha puesto en tu mente, ya te tiene consigo.

Tú necesitas, por tanto, buen compañerismo.

Y necesitas estar firme en la Palabra.

Estoy hablando de un estudio bíblico diario y un buen tiempo de quietud y meditación delante del Señor. La Biblia dice que debemos renovar nuestra mente. Y debemos renovarla pasando buenos y sólidos momentos con el Señor.

Cuando se produjo la segunda amenaza de una bomba llamaron a la policía. Enviaron entonces un oficial que llegó a la iglesia y entró con la actitud del que dice: "Bien, bien. ¿Qué es lo que han hecho esta vez?" El hombre era áspero y sarcástico, como si Tom y Leisha estuvieran haciendo puro alarmismo.

—La primera vez que usted no tome seriamente a unos de esos individuos, será la vez que usted lamentará mucho —dijo seriamente Leisha.

El policía la miró y le dijo:

—¿Qué es lo que hacen en su iglesia que siempre los están amenazando?

Leisha pensó por un momento y pidió al Padre celestial le diera una respuesta justa y sabia que el policía pudiera comprender.

—Bien, hay un sinnúmero de cosas —dijo ella—. Puede ser que ellos se enojan porque no pueden sacar ventajas de nosotros, o porque nosotros no actuamos como el Bienestar Social. Pero también puede ser que ellos no pueden soportar el Espíritu de Dios.

El hombre pensó en eso por un momento y después se retiró solemnemente. De vuelta a la oficina del alguacil de la policía descubrieron que el llamado había sido hecho de una cabina telefónica pública. Arrestaron a un individuo y llamaron a Tom y Leisha para que vinieran a identificarlo y hacer los cargos correspondientes.

Tom fue el primero en ir. El hombre estaba todo vestido de negro, y tenía tatuada en medio de la frente una cruz dada vuelta. Tenía toda clase de símbolos ocultistas, ya sea en parches de la chaqueta, o en joyas o en tatuajes. Tom se enfrentó cara a cara con El. El hombre estaba en su celda y Tom le habló a través de las rejas.

—¿Qué tiene usted en contra de las iglesias? —le preguntó.

—¡Nada, hombre, nada!

—¿Qué es eso que lleva en la frente?

—¡Nada, hombre, nada! —dijo mientras se bajaba el pelo para cubrir la cruz.

Tom nunca lo había visto antes, pero le pareció que era un joven ocultista, probablemente pasando por el proceso de admisión. Quizás le habían dado la orden de atacar una iglesia y destruirla.

Al domingo siguiente por la noche, Leisha se hallaba en la oficina de la iglesia cuando oyó terribles gritos en el santuario. Corrió a ver y vio a una mujer golpeando a Tom. El estaba sereno, y esquivando sus golpes, la reprendía en el nombre de Jesús. Leisha llamó a la policía que acudió enseguida. Se requirieron tres policías para ponerle esposas a la mujer, tal era su furia.

Tom formuló cargos contra ella. Pero la mujer tenía miedo de aparecer en los tribunales, así que una noche esperó en la calle a Tom y le pidió perdón, y le rogó que retirara todos los cargos contra ella. Tom lo hizo así y la mujer desapareció para siempre.

Uno de los policías que la había arrestado, preguntó a Tom si había oído hablar de Josephine.

—No, no estoy seguro —dijo Tom.

—Bien, yo fui llamado la semana pasada a investigar lo de la bomba, ¿recuerda?

—Sí, el ocultista que tenía tatuada una cruz dada vuelta en la frente.

—Bueno, resultó que ese Joe era en verdad Josephine. Cuando le hice quitar la camisa para fotografiar los tatuajes resultó que "él" era "ella".

Es cosa común para los ocultistas, especialmente los satanistas, confundir acerca de su sexualidad.

Las cosas se aquietaron por un tiempo y Tom y Leisha pensaron que el enemigo se retiraba de la batalla. Pero justo cuando pienses que todo va bien, es cuando más debes vigilar. El diablo es astuto y mentiroso y capaz de intentar de todo. No pongas nada detrás de él. No pienses que ya estás fuera de peligro, tranquilo y confortable.

La historia es más larga de lo que podemos contar aquí. Pero es un cuento de victorias continuadas.

La iglesia tuvo una buena campaña de recolección de fondos y pronto pudo mudarse a un nuevo edificio. Estaba situado cerca del camino ancho que es Mannatu Crossing.

Tom vio en esto la providencia de Dios.

Y su misericordia.

El buen edificio que Dios había provisto estaba cerca del pueblo. Y la iglesia estaba llegando a ser una gran iglesia. Con gente común mezclándose con ex budistas, ex brujas, ex adoradores de Satanás, ex adivinadores de la suerte y ex caminadores sobre fuego.

Tomo vio esto como una señal de éxito. Su rebaño no era una pandilla de ex marginados. Ellos caían perfectamente bien. No eran más gente loca, de ojos raros, asustadores de sus prójimos.

La batalla continúa.

Pero no hasta el punto que impida a Tom y Leisha organizar una iglesia normal con un programa apropiado, tal como celebrar escuelas bíblicas de vacaciones, o tener una noche familiar en miércoles o jueves.

Esta es una historia de victoria.

Pero la batalla sigue.

Oren por Tom y Leisha. Son una pareja maravillosa. Han batallado bravamente, quizás con un poco de miedo.

Pero ya saben cómo contraatacar.

Y ganar.

Capítulo 6

Peleando con gratitud

Es difícil dar gracias en medio de un escándalo sexual. ¿Cómo dar gracias en medio de un humillante desastre, viendo como todos tus sueños son consumidos por las llamas?

Pero Pablo, el apóstol, escribe. "Dad gracias en todo".

Sí. ¿Pero cómo?

Una gran iglesia en California fue el sueño de toda la vida de un amigo mío de largo tiempo, uno de los más conocidos autores y evangelistas en Norteamérica. El fundó la congregación y la alimentó en buenos y malos tiempos.

En sus años de declinación, su ministerio era algo de lo cual estaba legítimamente orgulloso. Había sido mencionado en artículos de revistas y había figurado en cierto libro, como ejemplo que todos debíamos imitar.

Quiero decir, se trataba de un programa de evangelización de niños dirigidos por un hombre y su mujer, que estaban ordenando su programa para que fuera publicado por una editorial como programa modelo de escuela dominical.

Tenían una sobresaliente escuela cristiana, una orquesta excelente que tocaba una cantidad de himnos de alabanza, un ministerio efectivo para ayudar a drogadictos, que había sido ya mencionado en una de las grandes revistas del país, una fuerte red de buenos y sólidos estudios bíblicos familiares, como también un ministerio internacional de mensajes grabados, un grupo de mímicos que viajaba de ciudad en ciudad, y un programa para retirados que había recibido premios.

El ministerio de la música estaba a cargo de un hombre aclamado nacionalmente, que celebraba seminarios de música de una semana por todo el país. Compartía la dirección de la música con tres artistas cristianos que habían recorrido casi todo el mundo, grabado gran cantidad de discos y tenían esta iglesia como su centro de operaciones.

Pero sucede que aun en las mejores iglesias entra la discordia cuando el pastor principal llama como ayudante a uno que no tiene calidad espiritual suficiente, como hizo este viejo pastor con un joven que llamaremos Alan. El pastor viejo aceptó una larga lista de invitaciones para viajar y predicar en diversas iglesias, y salir en programas de televisión.

Alan era un excelente predicador y muy buen consejero espiritual. Cuidaba genuinamente de su rebaño espiritual.

La congregación se enamoró de él.

En realidad, en ausencia del pastor viejo, la congregación acudió a Alan para que oficiara en bodas, funerales, bautismos, y consejo espiritual. De especial éxito fue una reunión de estudio bíblico para damas, los jueves por la tarde. Las mujeres de la iglesia lo amaban.

En medio de tanta aclamación, después de dieciocho meses, Alan empezó a sentirse incómodo. Se resintió de tener un papel secundario. No era más que el segundón del pastor jefe, gran autor y predicador. Cada vez que el viejo regresaba de sus viajes se hacía cargo del púlpito, y contaba sus aventuras, sus experiencias en canales de televisión cristianos, hablando con emoción de sus encuentros con celebridades cristianas.

Alan se puso celoso.

Después de todo, la gente miraba a Alan ahora. Día tras día, cuidaba amorosamente ese rebaño abandonado por su viajero pastor, un rebaño de 4.500 personas, desdeñado por una estrella de televisión.

Y Alan ponía sesenta horas de trabajo semanales supervisando una comisión pastoral de quince miembros, predicando tres veces los domingos, instruyendo a nuevos líderes, conduciendo el servicio de oración del domingo en la noche, desarrollando un nuevo equipo de diáconos, también vigilando la música, los retirados, los drogadictos, y el ministerio infantil. Frecuentemente asistía a cinco reuniones de la iglesia en un día, vigilando que todo fuera bien, ofreciendo consejos y directrices. Y Alan era inmensamente popular con la sociedad de caballeros que se reunía los jueves en la noche.

Pero Alan se iba amargando porque no era el tambor mayor.

¿Por qué no se daba cuenta el pastor viejo que ya era tiempo de que se retirara? La iglesia era ahora la iglesia de Alan. El viejo podía retirarse a seguir escribiendo libros.

Alan codiciaba el púlpito cada vez que el pastor principal regresaba a casa. Lo miraba envidioso cuando contaba sus grandes experiencias.

¿Quién pensaba que era el viejo macho cabrío? Quizás se creía capaz de ser primera figura en todos los programas de televisión. Y en cada programa de TV que aparecía, nunca le daba crédito a Alan por lo que éste hacía, cuando mencionaba el crecimiento de la iglesia.

La ira creció dentro del pastor asistente. Sus amigos íntimos empezaron a susurrarle que era tiempo de dar un golpe palaciego. Correr al viejo pastor y forzarle a retirarse.

Quietamente, Alan hizo un recuento de su "activo". El departamento de música estaba enteramente con él, gracias a la libertad que Alan les había dado en ausencia del viejo. Los diáconos también estaban con él. Las damas de los estudios bíblicos seguramente que eran sus admiradoras. El pastor de niños estaba con él, porque Alan le había permitido correr al antiguo superintendente de la escuela dominical para instalar un novedoso programa de su invención. Y los hombres del jueves en la noche seguramente irían con él a cualquier parte.

Seguro de su posición política, Alan le dio a los oficiales de la iglesia un ultimátum: El viejo, o yo.

Llamaron al viejo pastor para una reunión de emergencia y los oficiales se reunieron con Alan y con él. Alan dijo claramente que no había lugar en el corral para dos toros.

Tristemente, los oficiales asintieron.

Y despidieron a Alan.

Incrédulo, Alan escupió su desafío.

—Voy a vaciar esta iglesia —dijo—, la voy a convertir en un garaje. Voy a comenzar mi propia iglesia en la parte más rica de la ciudad, y me voy a llevar conmigo los más grandes contribuyentes, los mejores diezmeros. Me voy a llevar el programa de niños y el de padres. Me voy a llevar el coro y la orquesta. Ellos están conmigo. Ustedes no tienen nada. Ustedes se van a sentir en un auditorio vacío, mirándose unos a otros, incapaces de pagar la hipoteca.

—Vete con nuestra bendición —dijeron los oficiales.

Con su pálido rostro el viejo pastor miraba en silencio. Esa misma noche comenzó a cancelar todos sus compromisos. Se había equivocado, se daba cuenta. Mientras andaba galopando por ahí, convertido en astro, Satanás estaba haciendo su cosecha.

Pensaba cómo podía haber ocurrido esto. Su corazón estaba herido. El había amado a Alan y había confiado mucho en él. El dolor era intenso. Se preguntaba cómo podía continuar.

La iglesia era un revoltijo. Sea que lo entendieran o no, ellos se enfrentaban a un dilema de adhesión. Tenían que elegir entre Alan y su famoso pastor. ¿Qué acerca de Jesús?

Después de todo, había sido el sueño del pastor viejo, por años, plantar nuevas iglesias por todas partes. Nunca había planeado tener una superiglesia, como se había convertido esta. ¿Cómo había permitido que este desastre ocurriera?

Ese domingo se le permitió a Alan anunciar desde el púlpito la formación de una nueva iglesia en la zona rica de la ciudad, algunos kilómetros más al sur. El viejo pastor, solemnemente, se apoderó del micrófono y dio su bendición a la "nueva iglesia hermana", y aun prometió ayuda financiera para que comenzaran sus actividades.

A la siguiente semana la nueva iglesia celebró su primer servicio con una asistencia de 1.500. El programa de niños fue un éxito, con los mejores maestros y ayudantes. La iglesia ocupaba el gimnasio de una escuela secundaria.

Fue un domingo glorioso.

Dos artistas cantantes, de éxito disquero, cantaron a ambos lados de la plataforma, con varios teclados. Virtualmente, toda la orquesta de la antigua iglesia estaba allí, siguiendo al director. Este sabía que tenía entera libertad, dada por Alan, de ensayar cualquier cosa. Alan lo necesitaba para hacer marchar la iglesia.

Los asistentes recibieron a la entrada pañuelos de color, para agitarlos durante el servicio de canto. Un grupo de chicos danzó a lo largo de los pasillos, agitando en el aire cintas de colores. Mujeres vestidas de blanco danzaron en la plataforma. Estudiantes de secundaria, con camisas de satén, levantaron bellos estandartes proclamando la grandeza de Dios.

En frente del coro un grupo de mujeres interpretaron con gestos las palabras de los cantos, igual que bailarinas hawaianas. Una pareja de bailarines de ballet hicieron piruetas en la plataforma. Varios cantantes, en diversos lugares del escenario, con micrófonos en la mano dirigieron a la multitud en extáticos coros.

Fue algo memorable.

En la antigua iglesia las cosas fueron considerablemente más quietas. El viejo pastor habló a unas 2.000 personas que habían permanecido fieles, y los guió en acción de gracias y oración por la nueva iglesia que se había formado.

—Dios está en control de todo —proclamó el viejo, entristecido por la asistencia tan reducida. El sabía que muchos miembros se habían quedado ese domingo en sus casas, disgustados por tanta fealdad y disensión.

Por más de un año la vieja iglesia sostuvo a la nueva.

Pero el viejo pastor no podía hacer otra cosa que afligirse por la actitud de Alan y su equipo, de querer hacer las cosas mucho más grandes que la vieja iglesia. La actitud de Alan parecía ser: "¿Ustedes me despidieron? Bueno, yo les voy a enseñar cómo se lleva una iglesia".

Entonces, una mañana, el viejo pastor oyó un toque en la puerta de atrás de su casa. Era Alan que venía muy humilde.

—Pastor, necesito hablar con usted —dijo Alan con la mirada gacha—. Esta mañana mis diáconos me han despedido. Pastor, he caído en adulterio. He tenido relaciones con la esposa del director de música.

—Todo comenzó como una inocente amistad —confesó—, pero las cosas comenzaron a complicarse entre nosotros. Antes que yo me diera cuenta de lo que estaba sucediendo, estaba codiciando ardientemente su cuerpo. Sabíamos que hacíamos mal, pero sucumbimos dos veces y tuvimos relaciones sexuales. Le juro que fueron solamente dos veces. ¡Soy humano! ¡He tropezado! —dijo llorando—. ¡No soy Jesucristo! Nuestras relaciones terminaron absolutamente sesenta días atrás. ¿Por qué me despiden ellos por algo que he dejado de hacer? ¿Cómo pudo suceder esto? ¡Yo solamente deseaba difundir el evangelio y llevar cientos de almas a los pies de Jesús!

—Alabado sea el Señor —susurró el viejo pastor—. Señor, tú tienes control de todo. Tú eres Señor. Tú sabes lo que Tú estás haciendo. Gracias, Señor, por tu bondad para nosotros.

En los días que siguieron toda la comunidad fue sacudida por el escándalo. Y las noticias siguieron de mal en peor.

- El tesorero de la iglesia empezó a revelar ciertas impropiedades que Alan había demandado: que la iglesia pagara todos sus gastos, sus tarjetas de crédito y la hipoteca de su casa; que Alan muchas veces había sacado dinero como gastos de ministerio y no como salario; había insistido que su informe al Servicio de Impuestos fuera sustancialmente menos de lo que había ganado. Pero aun, últimamente Alan había empezado a sacar dinero efectivo del plato de la ofrenda, cuando era traída la colecta dominical. Esta entrada nunca fue informada, como requiere la ley.

- Entonces el joven que dirigía el grupo de danzas confesó a su esposa que había tenido relaciones homosexuales con uno de los artistas que cantaba y tocaba el piano casi todos los domingos. Más adelante este joven dijo que iba a divorciarse de su esposa, porque quería ir a San Francisco a vivir con su amigo, quién también había dejado a su esposa.
- Después, uno de los diáconos, que había empezado un fondo mutuo de inversiones con varios miembros de la iglesia, desapareció con todo el dinero.
- Después, una chica de la escuela secundaria, que vivía con el director de música y su familia, confesó haber permitido a su novio simular actos sexuales con ella para ser videograbados, y con un grupo de jóvenes del colegio también, para una película ordenada por el colegio.
- Y la hija del director de niños fue expulsada del colegio por haber atacado a una chica menor en los vestuarios del colegio con una pistola de perdigones.

Uno tras otro, todos los miembros de la junta directiva de la iglesia de Alan cayeron en escándalo, ya sea por su esposa, o por un miembro de la familia, o por él mismo.

Los diarios locales publicaron el escándalo en primera plana, con títulos como: "Sexo, mentiras y videos grabados... y el rebaño esquilado". Hacían remedo del título de un película sexual que había ganado un premio (Oscar) de la Academia.

Ese domingo, una iglesia significativamente humillada se reunió en su gimnasio, con menos de 350 personas, a veinte kilómetros al sur de la vieja iglesia. Uno de los diáconos tocó el piano. La orquesta se veía dispersa. El coro, también. Los pastores y líderes de adoración se habían ido. Un policía local, que era ujier de la iglesia, predicó un sermón muy simple sobre tener siempre una actitud de gratitud.

—Yo no sé por qué algunas cosas suceden —dijo mencionando el libro de Job—. Pero sé que Dios está aquí. El te ama a ti y a mí. Y El está en control de todo.

Un espontáneo llamado al altar duró cuarenta y cinco minutos, y casi todos los asistentes pasaron adelante llorando y agradeciendo al Señor por todo lo que El estaba haciendo.

La nueva iglesia sobrevivió.

Hoy en día, tienen la mitad de los miembros. Pero es una congregación sólida, en buena amistad con su iglesia hermana, veinte kilómetros al norte. El servicio de adoración es gozoso. Los diáconos, creyentes en la Biblia le han dado al nuevo pastor mucha libertad para que siga la dirección del Espíritu.

Alan ha entrado a trabajar con una firma de aparatos electrónicos, en relaciones públicas. Uno de los líderes de adoración se ha mudado con su familia a Nashville. Los dos homosexuales se han sometido a consejo cristiano, pero ninguno ha vuelto con su esposa.

¿Cuál fue la clave que ayudó a sobrevivir a esta iglesia a pesar de la terrible serie de escándalos?

Los años de enseñanza sobre que siempre debemos tener una actitud de gratitud.

Que debemos dar gracias en todas las cosas.

Otro elemento clave fue la oración intercesora del viejo pastor, que le dio gracias al Señor por mantener el control en medio de todo el caos.

Un factor muy importante fue que durante años este pastor instiló en su rebaño el hábito de agradecer a Dios por Su constante protección. Su provisión, y Su guía, no importa cuántas cosas malas pueden hacer los hombres.

Yo sé que es difícil tener una actitud de gratitud, si alguien te ha hecho un daño profundo e inmerecido. Créase o no, es aun peor si lo mereces —como le pasó a Alan—. Y peor todavía si eres culpable de terribles cosas, y no mereces la misericordia del Señor.

Pero este es el momento cuando Dios puede hacer grandes cosas.

Cuando venimos al Señor con nuestras manos sucias, aun de sangre, por nuestro pecado —pidiendo humildemente Su perdón y agradeciéndole Su misericordia—, El puedo mostrar toda su gracia.

Y El puede mostrar todo su amor.

Culpables de mentir, o engañar, tú o yo podemos mecernos en los brazos de Jesús, y sentir que El nos ama todavía. Tal como amó a Zaqueo, el engañador recolector de impuestos, y las prostitutas y la gente que lo rodeaba esperando de El sólo panes y peces.

Todavía tenemos que pagar las consecuencias terrenales de nuestro pecado.

Pero si venimos a El humildemente, afligidos de nuestra pésima conducta, pidiendo Su ayuda para ser fuertes y decir "¡No!" la próxima vez, El nos recibe de vuelta en casa, la oveja negra y perdida que somos cada uno de nosotros.

Tengo un amigo, llamado Marc, que fue cogido en lo que casi era un fraude. Marc contrató a un "supervendedor", y le pagó 152.000 dólares en comisiones extravagantes durante 27 meses. Este hombre prometió a los clientes de Marc más productos de los que podía entregar, vendió cosas a menos del costo y sobrevendió productos que la compañía no estaba en capacidad de producir.

Yo mismo pagué 4.100 dólares por una videocinta que había producido a través de mi ministerio.

Nunca obtuve mis cintas grabadas, lo cual, tengo que decirlo, causó una desagradable desavenencia entre mi amigo Marc y yo. Me sentí traicionado, particularmente cuando se supo todo el asunto.

Cuando todo cayó, Marc quedó con el paquete de cientos de miles de dólares en pedidos que su insolvente compañía no estaba en condiciones de producir.

Aunque él sentía que no había hecho nada malo, en verdad se había estado matando, tratando de mantener a flote la empresa, ya que la mayor responsabilidad caía sobre él.

Marc no había puesto sus manos en todos los asuntos.

No había vigilado cada centavo que se gastaba. Y cuando los clientes empezaron a reclamar, Marc les prometió la luna, afirmando que todo iba a salir bien.

Y así, cuando la compañía quebró, fue la falla de Marc. El había permitido que sucediera.

No había trabajado lo suficiente. No había consultado al Señor sobre qué debía hacer con su vida para salir de sus problemas.

Fue esa la falla de Marc.

El Señor es dueño de cada uno en el país del dinero. El posee a gentes en países extranjeros. El es dueño de los abastecedores. El es dueño de los fabricantes. El es dueño de los amigos.

Marc posee aun su propio dinero.

Mientras le pagaba a su agente vendedor 152.000 dólares para llevar adelante su compañía, Marc se pagaba a sí mismo y a su esposa, sólo 30.000 al año, y trabajaba noventa horas semanales.

Pero de todos modos, el caos era suyo.

Cuando el desastre se hizo más profundo, cuando la carga de culpa se hizo más pesada en los hombros de mi amigo, cuando todo se vino sobre su cabeza, ¿dónde halló Marc esperanza y sanidad?

En una actitud de gratitud.

El miró a su sola y única Fuente.

Marc agradece al Señor por las cosas increíbles que hizo para evitar que mi amigo se volviera loco, perdiera su familia o renunciara a su fe.

Una actitud de agradecimiento ayudó a Marc a contraatacar y vencer. Aunque perdió su compañía y va a tomar años recuperar su reputación. El caso permanece como que todo el fiasco fue culpa suya.

Tuvo que mudarse con su esposa y sus cuatro hijos a 2.000 kilómetros de distancia en un camión alquilado, y agarrar un trabajo lejos de casa.

Pero mi amigo vio y supo que un amoroso, maravilloso Señor, fue la razón por la cual su esposa no se volvió loca después del desastre. Comprendió que el Señor de Gracia permitió a toda esta familia vivir con un salario sustancialmente reducido. Y Dios habría de suplir sus necesidades, y aun darle para sus gustos.

Supo que fue el Señor quien ayudó a sus hijos a tener paz, y hasta excitación acerca de dejar su casa junto a la playa, y ajustarse rápida y alegremente a la nueva casa, la nueva escuela y los nuevos amigos.

Y fue también el Señor quien le dio a Marc un nuevo y desafiante trabajo, donde puede trabajar entre gente buena y generosa, usar sus talentos para promover el Reino de Dios, y hallar una comunidad a quien no le importaba el tremendo fracaso que sufriera.

Una actitud de gratitud.

Esa fue la clave por la cual Marc sobrevivió.

Una actitud de gratitud es la manera más efectiva que Dios te da a ti y a mí para contraatacar en Su fortaleza. A pesar de las penas que pueden estar devorando tu fe, conserva los ojos en Jesús. Y dale siempre gracias por Su gran bondad hacia ti. Sabe y conoce que El tiene todo bajo control, no importa cuántas cosas malas puedan acaecer.

Enojado, amargado y resentido, Alan nunca abandonó su fe. ¿Por qué? Porque su viejo rival, su pastor jefe, le ayudó a ver que era Dios quien guardó a su esposa de pedir el divorcio en medio del escándalo. Y era el Señor quien le dio un nuevo y bien remunerado trabajo.

Y era el Señor quien todavía amaba a su hijo caído.

Y Alan vio todo eso.

Supo quién era su liberador.

Y supo ser agradecido.

Recuerda que las cosas parecían terribles para los israelitas cuando vagaban por el desierto, murmurando por tener que comer sólo maná.

Pero Dios tenía todo bajo control entonces.

Tal como lo tiene ahora.

Tu generoso, amoroso Dios tenía una maravillosa Tierra Prometida que estaba esperando a sus esclavos liberados. El tenía planeadas increíbles, imposibles victorias militares. Triunfos absurdos contra ridículas posibilidades. Quiero decir que ese pueblo marchó contra ciudades fortificadas de elevadas murallas con sólo cornetas de cuernos de carnero. Y con sólo tocar los cuernos y gritar, las murallas de la ciudad cayeron.

Dios les dio la victoria, pero ellos tenían que usar el poder y la fuerza del Espíritu Santo para conquistar, tal como nosotros hoy.

Ellos se dedicaron por entero.

A ellos se les dieron planes de batalla. ¡Bajo la guía de Dios, Josué les dio la orden de avance! Tenían que obedecer las órdenes de su comandante celestial —y sus humanos generales— o no lograrían nada.

Ellos obedecieron y entraron victoriosos a las ciudades.

La gente, en el día de hoy, también puede ser victoriosa, pero deben seguir el plan de batalla. La Palabra de Dios.

Debemos oír a nuestro comandante.

De esta manera, siempre, derrotaremos a nuestros enemigos.

Capítulo 7

El arma del perdón

¿Qué fue lo que le permitió al anciano pastor ser tan bondadoso y amoroso con Alan, el joven y fastidioso usurpador? Desde ya les digo que el anciano no es un ángel. El y yo hemos sido amigos durante años y el hombre tiene muchas faltas.

En los primeros años de su ministerio se vio envuelto en dos feos asuntos con mujeres de su iglesia. Tiene una historia de negligencias en el cuidado de personas que él había prometido edificar.

Sufre de una desafortunada fascinación con la política, que puede lanzar a hermano contra hermano dentro de la misma iglesia. También ha edificado una especie de dinastía en su ministerio, poniendo a sus propios hijos en posiciones importantes en la iglesia, para la cual no están debidamente preparados.

Pero él ha sido perdonado ya tantas veces, que conoce muy bien la necesidad que tú y yo tenemos de perdonar a aquellos que nos ensucian. No podemos cargar con el resentimiento, el dolor de corazón, la ira.

El sabe que el Señor hará algo maravilloso —de lo que al diablo le gustaría hacer una devastación—, si nosotros perdonamos.

¿Perdonamos?

Perdonar a algún bandido que se aprovechó de ti, puede sanar un enorme daño. Y no te hace a ti un felpudo, en que otro se limpia los pies. Perdonar no es una santa, recta, sacrificial obligación de ser bueno con algún bribón que se ha portado viciosamente contigo. No es un "por favor, dame otra patada", escrito sobre tu espalda cuando pasas al altar.

Perdonar es la oportunidad que Dios nos da a ti y a mí de sanar las heridas.

Don Francisco, el cantante cristiano, tiene una canción de amor en uno de sus álbumes que dice mucho acerca de lo que es el amor.

"Amor no es un sentimiento" —dice la canción—, "es un acto de la voluntad".

Y así es con el perdón.

Rara vez el perdón es una cosa natural, instintiva, fácil de hacer. La reacción natural cuando nos sentimos atacados es ir donde el ofensor y aplastarle la nariz.

Pero el perdón te permite poner la cosa a descansar.

¿Cómo puedes perdonar a alguien que te ha causado terrible daño? Pídele que te perdone.

Un amigo mío sufrió una grave herida, por muchos años, cuando el dueño cristiano de una gran compañía se portó mal con él.

Mi amigo alimentó un resentimiento durante mucho tiempo.

Pero entonces, un día, se dio cuenta de que tenía que perdonar a su antiguo patrón.

Entonces hizo una cita con él.

Era la primera vez que se encontraban cara a cara desde el día que el dueño le había quitado su bono de Navidad, lo había expulsado de su importante puesto y lo había obligado a tomar otro trabajo, mucho más inferior, en una compañía más pequeña.

—Solamente quiero hacerle saber que siento mucho haberlo dejado —dijo mi amigo.

Su ex patrón, que había estado esperando una demanda, pestañeó de la sorpresa.

—Eso es cierto —balbuceó—, usted me abandonó... —y extendió su mano amistosamente diciendo—. Pero lo perdono.

Mi amigo sonrió calmadamente.

Y se dio cuenta de que todo había pasado.

Se sentía con libertad de querer a su antiguo patrón.

Libre para amarlo.

Libre para orar por él.

Porque ya no se sentía más mal.

Había perdonado al hombre.

Había elegido perdonar antes que alimentar su odio y resentimiento. Cuando doy consejos a matrimonios que tienen problemas, me es fácil detectar al que ha hecho la decisión de terminar con el matrimonio.

Ha abandonado la idea de perdonar.

La decisión de perdonar a una persona envuelve la idea de compromiso.

Requiere una inversión de energía.

La decisión de perdonar no es un acto pasivo.

Sin duda, cuando tú hallas un matrimonio que ha durado 25, 50 ó 75 años, descubrirás que el marido y la mujer han ejercido libremente su voluntad de perdonar, el uno al otro.

No es fácil pedir perdón al cónyuge cuando la conducta para con él no ha sido recta, buena y justa.

Pero es útil.

Déjame decirte algo con respecto a la actitud de perdonar. Te ayudará a soportar lo peor.

Bitsy era una hermosa, maravillosa hija de misioneros. Una cristiana sincera y devota que sacaba en el colegio las mejores notas, hablaba três idiomas y se sentía inmensamente feliz cuando ganó una beca para una universidad cristiana.

Pero estando en su segundo año, le permitió a un muchacho que no la amaba realmente, que la acariciara.

Y con una vez fue suficiente.

No sólo perdió su virginidad, que quería reservar para su futuro esposo, sino que quedó embarazada.

No fue, sin duda, una cosa limpia.

Todo lo que la rodeaba, en la televisión, en el cine, aun en el mismo colegio, las chicas de su edad parecían y eran promiscuas. Y al parecer, no sufrían ninguna consecuencia.

Pero Bitsy, en un solo y único acto de pasión, resultó embarazada.

Se retiró del colegio y fue a vivir con unos amigos de la familia. Tuvo que recurrir al Departamento de Bienestar Social, porque en los últimos meses de su embarazo no podía trabajar, ni tampoco en los meses que siguieron al parto.

Eventualmente, obtuvo un trabajo como empleada en una compañía de limpieza. El salario era suficiente para pagar el cuarto en que vivía, y la niñera que cuidaba al pequeño Mitchell.

Pero sus sueños se evaporaron.

El colegio pasó para siempre.

Sus sueños de llegar a ser psicóloga quedaron cancelados.

Ningún buen muchacho cristiano quería salir con ella. Ella era una adúltera, una adolescente con hijo y sin casar, una chica caída, de floja moral.

Pero en vez de dejar que la amargura la dominase, Bitsy trabajó conscientemente en una actitud de gratitud, y perdón.

Porque, tú puedes ver. Bitsy estaba enojada con Dios.

Furiosa.

¿Cómo El había permitido este desastre?

Otras muchachas eran descaradamente promiscuas y blasonaban de sus conquistas. Su propio hermano menor, había adquirido el espíritu machista de América Latina, y constantemente andaba seduciendo chiquillas.

Pero a él nada le pasaba. ¿Por qué todas las consecuencias habían caído sobre Bitsy, la brillante estudiante que sacaba "Excelente" y había ganado una beca para la universidad?

Bitsy estaba amargada.
Estaba herida.
Se sentía abandonada.
Pero entonces se dio cuenta de que Dios estaba allí. Estaba cuidando de ella.

- Después de todo, Mitchell era un niño bello e inteligente, y una absoluta delicia.
- Dios le había provisto buenos amigos, que la recibieron en su casa con todo cariño, cuando ella lo necesitó.
- Su papá no le volvió la espalda, como ella había temido. Por el contrario, envió a Mitchell toda clase de ropas de bebé, y juguetes desde Sudamérica, junto con cartas alegres, dirigidas a Bitsy y el chico.
- Y ella gradualmente fue ahorrando dinero. Había una buena oportunidad de que ella pudiera volver un día al colegio.

Con lágrimas, y sobre sus rodillas, Bitsy le pidió perdón a Dios por haberle echado la culpa.

Y perdonó al muchacho que la había seducido.

Empezó a ver todo bajo una diferente luz. Luz de perdón en vez de amargura, y de gratitud en vez de resentimiento.

En vez de andar buscando ansiosamente un marido, o de orar desesperadamente al Señor que le mandara un buen hombre cristiano para rescatarla, Bitsy comprendió que era enteramente posible que pasara toda la vida soltera. Solamente ella y el pequeño Mitch. Empezó a ver al Señor como el sacerdote de su casa y el padre de su hijito sin padre.

Y le dio gracias al Señor por concederle un buen trabajo entre buena gente, y en una compañía donde tenía oportunidad de progresar mucho.

Descansando en la bondad de Dios, alimentando una actitud de alabanza a El por todo, Bitsy empezó una nueva vida. Compró su propio apartamento y se matriculó en la escuela nocturna.

Y dio gracias a Dios por su bondad.

Hoy en día Bitsy es la feliz esposa de un eficaz mecánico de aviones llamado Derek, quien está ganando bastante dinero y espera algún día ser un misionero. Tiene tres hermosos niños, incluyendo a Mitch, que ya tiene nueve años, que ha sido adoptado por Derek y lleva su apellido.

—Nunca pensé que algún día podría hallar a alguien que se interesara por mí —me dijo Bitsy—. Pero Dios es tan bueno. Aun Derek y Mitchell se parecen. Nadie conoce nuestro pasado. Ese es nuestro pequeño privado secretito.

—Y te diré qué fue lo que trajo toda esta felicidad: cuando perdoné.

El perdón quita el viento de las velas de Satanás. Sus malignos inventos se vuelven la marea baja de su poder. El perdón nos libera de la servidumbre que el diablo ha planeado para nosotros.

No perdonar sólo nos convierte en sus esclavos.

El diablo ha sido derrotado y tenemos el poder, dado por Dios, de mantenerlo en derrota.

¡Y el perdón es una de nuestras armas!

Capítulo 8

¡Ganando contra el abuso infantil!

Las dos pequeñas de brillantes ojos negros tenían un terrible secreto.

Las dos hermanitas, de siete y cuatro años, no sabían cuán horrible era su secreto.

Pero su nuevo "abuelo" vio el terror en sus ojos.

Y eso rompió su corazón.

El era un médico cristiano. Durante años él y su esposa se habían hecho cargo de gente con problemas, tornando su hermosa casa casi en un hospital del Espíritu Santo.

Un domingo en la noche, una pobre mujer atribulada había respondido al llamado al altar en la iglesia de ellos. Melissa lloró con el pastor cuando contó su horrible historia.

Cuando era niña había sido violada repetidas veces por su abuelo, lo mismo que sus pequeñas hermanas.

Luego Melissa se había casado, escapando del horror.

Pero su marido se había vuelto violentamente abusador. Y ahora tenía que aceptar la verdad que tanto tiempo se había negado a sí misma. La horrible verdad de que su marido estaba abusando de sus pequeñas hijas, y esto durante años.

Ella había tratado de cerrar sus ojos a esto, sin poder creer que retornaba a su vida el horror de sus primeros años.

Entonces su depravado marido se había convencido de que es posible hacer bastante dinero con pornografía infantil. Y había ordenado a Melissa que lo ayudase a tomar videos obscenos de sus hijitas, haciéndoles hacer cosas que Melissa apenas podía describir delante de extraños.

Después de una violenta discusión, en que el marido golpeó a Melissa sacándole un diente, ella huyó con sus hijitas. Se fue a 900 kilómetros de distancia, refugiándose precisamente en un refugio para mujeres maltratadas. Ahora, ese domingo por la noche, había venido al Señor.

Terriblemente angustiada.

Buscando respuestas.

Necesitando esperanza.

La primera noche que pasaban en el nuevo hogar, las hermanitas miraron con miedo a su nuevo "abuelo", cuando se acercó a sus camitas para darles las buenas noches.

Sus ojos reflejaban tremendo temor, pero ambas levantaron su camisita de dormir y separaron sus temblorosas piernas.

El médico cristiano lloró cuando las cubrió con una frazada. Las dos niñitas miraron confundidas. No comprendían.

Ellas pensaban que el médico venía para tener sexo con ellas.

¡Qué horror habían soportado tanto tiempo esas dos pequeñas criaturas!

El abuso sexual había sido cosa de todos los días en sus breves vidas.

Ahora tenían siete y cuatro años. Una estaba en segundo grado y la otra en el kindergarten. Eran bonitas. De ojos negros. Pero llenas de ira, confusión, sospecha, terror y derrota. Las acusaciones radiaban de sus ojos. El dolor llenaba sus caritas temblorosas. El temor oprimía sus pequeños corazones.

Pero la brutalidad les había enseñado sumisión.

Así, ellas, silenciosamente, aceptaban su pesadilla.

Y pensaron que este hombre era igual al otro que habían conocido.

El abuso sexual de los niños es algo tan chocante que mucha gente ni quiere hablar de ello.

Pero las estadísticas son sorprendentes:

- Una, de cada tres chicas, será sexualmente abusada antes de cumplir dieciocho años.
- Uno, de cada cinco muchachos, será violado antes de alcanzar la mayoría de edad.
- Noventa por ciento de los ofensores son personas conocidas de las víctimas.
- Cincuenta por ciento de los ofensores tienen menos de dieciocho años.
- Cinco por ciento de los ofensores son personas psicópatas.
- De veinte a treinta por ciento son incapaces de cuidar de otras personas, porque el desarrollo de su personalidad ha quedado detenido a temprana edad.
- Si no son detenidos, algunos violadores atacarán a unas 1.500 víctimas a lo largo de su vida. Estos son los que se llaman ofensores "fijados", pervertidos peligrosos que no se han desarrollado emocionalmente debido a alguna experiencia traumática, a menudo su propia violación cuando niños. Muchos obtienen trabajos que les permiten acceso a los niños, trabajando como conserjes en las escuelas, y cuidadores de parques de juegos, maestros, líderes de los niños exploradores y consejeros de campamentos.
- Un porcentaje mucho mayor, llamados ofensores "regresivos", atacan a niños que conocen, a menudo como resultado de una crisis en su vida de adultos.
- Las mujeres abusan de niños tanto como los hombres, pero son mucho menos denunciadas. Habitualmente, la mujer que abusa de un menor es presentada en cine y

televisión como haciendo un favor al chico. En verdad la mayoría de los chicos abusados por mujeres sufren un severo trauma moral.

Algunos de los que se van a convertir en violadores comienzan con lo que se llama pecado sexual "sin víctima". Esto es pornografía, que comienza con revistas simplemente eróticas y suben de grado hasta convertirse en rampante pornografía, pornografía de niños, y sado-masoquismo.

¿Qué podemos hacer para contraatacar?

- Mantenga al niño lejos del violador. Termine todo contacto.
- Denuncie el incidente a la policía o al departamento de servicios sociales. Si falla en hacer esto, pondrá el niño en serio peligro. El violador vive esclavo del pecado, y repetirá su hecho vez tras vez si no es detenido.
- Procure consejería espiritual para el violador. Muchos dejan su acción cuando son bien aconsejados.
- Luche contra las cosas que desatan y estimulan esta actividad: pornografía, películas de sexo, libros eróticos, suciedad en la televisión, y demás cosas.
- Sepa claramente dónde comienza el camino que lleva al pecado.
- Saque todo el problema "fuera del armario" y no tenga miedo de hablar claramente de él. No lo oculte por vergüenza.
- Ore. Busque la sabiduría y la guía del Espíritu Santo.

La Biblia dice que debemos caminar en la luz.

Esto significa que no debemos enfocarnos en lo horrible. No debemos consumirnos con este disgustante, quizás provocativo problema, y quitar nuestros ojos de la alegría, esperanza y provisión que tenemos en Cristo.

Pero también significa que no debemos ocultar el pecado. Lo que mantiene a mucha gente en servidumbre de este pecado es la conspiración de silencio. El problema es demasiado malo para discutirlo.

Si un incidente ocurre, es tapado enseguida.

Un día estaba yo predicando en una iglesia, y el hijo adolescente del pastor asociado abusó de una menor. He aquí lo que sucedió.

La madre de la niña era una mujer tímida, divorciada, madre de tres hijos, con muy poca presencia de ánimo y confianza en sí misma. Ella contó su historia al superintendente voluntario de la escuela dominical.

Una noche que volvió a su casa sorprendió a su hijita de ocho años realizando copulación oral con un muchacho de dieciséis, que vivía en la misma cuadra, y había venido a cuidar los niños. El hermano mayor de la niña, y otra hermana, estaban en sus cuartos ignorando lo que estaba ocurriendo.

Histéricamente, la madre quiso saber por qué los otros hermanos pretendían no saber nada del suceso.

—Yo no quería mirar eso —dijo el hermano de diez años de edad—. Jeannie es una desvergonzada, y yo no quería verlos. Ella le hace a él eso todo el tiempo. El quería que ella me lo hiciera a mí también, pero yo no se lo iba a permitir. Ella es repugnante. Ella es muy mala. Yo la aborrezco.

—Yo le dije que no hiciera eso —dijo llorando la hermanita—. Pero ella me dijo que si yo decía eso, les contaría a todos los chicos del noveno grado que yo hago eso también. Y yo no lo hago.

La madre se fue con el muchacho de dieciséis años hasta la casa de éste, y contó lo sucedido a sus padres. Pero los padres del muchacho le dijeron que mejor no denunciara el caso a la policía, porque si no se vería en peligro de que le quitaran sus hijos.

—Es mejor que usted se quede callada si desea conservar a sus hijos —le dijo el padre del muchacho—. El día que usted denuncie esto, ellos van a poner inmediatamente a sus hijos en otros hogares. Tan rápido, que a usted le va a revolver la cabeza. Usted debió haber estado en su hogar, no haciendo sus cosas por ahí.

"Haciendo sus cosas" era haber estado trabajando. La pobre mujer tenía que ganarse la vida.

Enormemente turbada la madre volvió a su casa y habló con la pequeña Jeannie, quien había actuado como si todo hubiera sido un juego divertido. Algo muy excitante. Trajo para ella muchísima atención de parte del muchacho.

Y luego le dijo a la mamá que ella hacía lo mismo todos los domingos con Matt, el hijo de catorce años del pastor asociado, durante la hora del culto de los adolescentes.

La pobre madre habló llorando con el superintendente de la escuela dominical. El la escuchó asombrado, estupefacto y afligido.

Esta familia, y ciertamente la pequeña Jeannie, necesitaban ayuda, y pronto. Ella era demasiado chica para comprender cuán serio era su "jueguito". Sin una buena ayuda ella llevaría profundas y terribles cicatrices por toda su adolescencia y edad adulta, dada la gravedad de lo sucedido.

El sintió que el muchacho de dieciséis años tenía que ser denunciado a las autoridades, ya que de todos modos había cometido una violación induciendo a la niñita a realizar sexo oral.

Pero el superintendente tenía una opinión diferente en cuanto a Matt, el hijo del pastor asociado, culpable también de aprovecharse de la chiquilla. Se daba cuenta de que Matt necesitaba a alguien que hablara con él, amorosa, comprensiva, firmemente y con advertencias.

Y los hermanitos de Jeannie necesitaban ayuda pastoral.

Pero el superintendente sabía que esta serie de cosas podía ser una gran oportunidad para Satanás. Estos asuntos son tan sensacionales que el mero susurro de tal escándalo puede sacudir una comunidad y llegar a cerrar la iglesia.

Por lo tanto, se necesitaba real sabiduría para tratar todo el problema. Si los diarios publicaban eso, la reputación de Jeannie y Matt se harían trizas. La iglesia podría ser catalogada como un lugar de perversión e insegura para los niños.

El superintendente de la escuela dominical sabía que podía ser enjuiciado legalmente. Aunque era sólo un voluntario, era responsable por el bienestar de todos los chicos confiados a su custodia. Después de todo, él no había sabido cuidar de una chiquilla de ocho años que sentía placer en el sexo oral, y apartarla de un muchacho de catorce que gustaba dejarla hacer eso.

La cabeza del superintendente empezaba a girar vertiginosamente al darse cuenta de las proporciones que estaba tomando esta pesadilla.

Por eso llamó al pastor asistente.

—Darrel —le dijo—. Tenemos un problema de marca mayor. Una niña de la iglesia ha sufrido abuso sexual de parte de un muchacho de dieciséis años de su vecindario. La madre tiene miedo de denunciar el caso. Dice que no quiere perder a su hija, o que ella sea puesta en un hogar adoptivo.

—La ley de este estado es bien clara —dijo el pastor asistente—. Si usted sabe que se ha cometido un crimen, y no lo denuncia, se hace cómplice del mismo. Usted tiene que ir con los padres de la niña y hacer la debida denuncia a la policía. Dígale a los padres que si ellos denuncian el caso inmediatamente, la policía lo tratará como violación o asalto.

—Mire, la cosa es algo más complicada —dijo el superintendente—. La chica dice que también su hijo, Matt, se aprovechó de ella durante el culto de los niños. Y lo hizo en el baño privado de la oficina del pastor.

Se produjo un pavoroso silencio.

—¿Ha hablado usted con alguien acerca de esto? —preguntó el pastor asistente.

—No.

—¿Se da cuenta de todo el problema que esto puede causar?

—Ciertamente que sí, Darrel. Por eso vine a hablar primero con usted.

—¿Por qué se metió usted a aconsejar a esta mujer? —se enfureció el pastor asistente—. ¡Usted no está en el equipo pastoral! Usted no tiene ninguna preparación para dar consejo profesional. No está usted calificado. ¿Por qué cree que tiene el derecho de dar consejo espiritual?

—¿Qué quiere usted decir? —preguntó el superintendente.

—¡Usted se ha pasado de la raya! ¡Usted se ha tomado más autoridad de la que tiene! —gritó rabioso el pastor asistente—. Usted no puede dar ningún consejo espiritual, legal o psicológico a nadie en el nombre de la iglesia. ¿Se da cuenta de lo que es ser acusado de mala práctica? Todos podemos ser acusados por dar mal consejo profesional, y usted sería responsable criminalmente.

—Yo no hice nada —balbuceó el superintendente intimidado—. Espere...

—Es mejor que usted se limite estrictamente a sus simples responsabilidades —tronó el pastor asistente—. Yo tengo grandes esperanzas en usted. Espero ponerlo pronto en el equipo pastoral. Pero si esto se sabe haría dudar a mís superiores, los que mandan en esta iglesia, de sus habilidades, su juicio y su madurez espiritual, si saben que usted se metió en cosas que no le corresponden sin pedir ayuda, particularmente si mi hijo es perjudicado a causa de lo que usted ha dicho, pretendiendo ser un profesional bien entrenado.

—Pero... —intentó decir el superintendente, pero el otro lo cortó.

—Si usted aún piensa en hablar con alguien acerca de esto, recuerde lo que Pablo dijo acerca de los chismosos y metecuentos. Los compara con las brujas. ¡No puedo expresarle cuán enojado me siento en este momento! Déjeme darle un consejo en amor cristiano. Si yo oigo algo más de esto en otra ocasión, voy a saber de dónde viene. No voy a permitir que usted destruya un ministerio, una vida y una familia con sus charlatanes labios y pobre criterio.

—Pero —balbuceó el superintendente.

—Mi hermano —volvió a tronar el pastor asistente—. Creo que el Señor tiene una palabra justo para usted. ¡Usted tendrá que someterse, como nunca antes, a la disciplina y autoridad del Señor! No ponga en peligro su salvación, debido a labios demasiado sueltos y rebeldía. *¡Estad callados, y conoced que yo soy Dios!*

—Está bien —dijo el superintendente con un hilito de voz. Y salió.

Pero luego, empezó a ponerse furioso.

No podía dormir.

Daba vueltas por la casa, incapaz de decir a su amada esposa lo que estaba pasando. Y por qué estaba tan afligido.

Cuanto más pensaba acerca de todo lo sucedido, más furioso se ponía.

Entonces levantó el teléfono, y llamó a Darrel.

—Darrel —dijo cuando el pastor asistente levantó el auricular—. Oigame cuidadosamente. Hablemos las cosas bien claramente. Su hijo Matt, abusó de una niñita. Ha cometido un delito sexual. Así que, oigame cuidadosamente. Hasta que usted no le dé a su hijo ayuda profesional, yo no voy a permitir que ese muchacho se acerque a las niñas de mi escuela. Puede ir a la clase de los jovencitos, si quiere, pero nunca cerca de las chicas.

»¿Me oye claramente? No quiero que él ayude con las clases. No quiero que ayude en la guardería de niños. Si él pone de nuevo sus pies en mis clases, yo voy a pedirle a usted que venga y esté con él hasta que él se salga de mis clases.

El pastor asistente empezó a resoplar como toro enojado.

»Darrel —le interrumpió el superintendente—. Quiero que comprenda bien esto. Si usted me causa algún problema con todo esto, voy a ir directamente a las autoridades. Si llego a escuchar aunque sea un rumor de que Matt ha vuelto a hacer lo mismo, voy a ir a la policía, y les voy a decir que usted me pidió mantuviera que la boca cerrada. Y usted tendrá que hacerse cargo de toda la situación.

»La cosa está en sus manos. Usted debe manejarla. Usted debe asegurarse de que su hijo reciba ayuda. Yo voy a estar vigilando. Y usted debe también procurar que la familia de la pequeña Jeannie reciba ayuda, si usted quiere que yo me mantenga alejado de esto. Déles la ayuda que necesitan. Porque si usted no lo hace, lo haré yo.

Y colgó el teléfono con estruendo.

Todavía se sentía terriblemente mal.

Había permitido que él mismo se envolviera en la conspiración de silencio que tantas veces mantiene estos escándalos bajo la alfombra, y permite a los culpables irse sin castigo.

No quería tampoco que un buen chico de catorce años fuera acusado de violador, particularmente porque era enteramente posible que fuera la muchachita quien se lo habría propuesto.

Y el superintendente siguió disfrutando de su trabajo en la iglesia. Le gustaba ese lugar de autoridad. No deseaba perderlo.

Por tales razones, muy rara vez estos casos salen a la luz.

Nadie quiere comprometerse.

Los amigos de la víctima desean librar a la niña, la familia, la iglesia y la comunidad, de la horrible humillación de la publicidad.

Los amigos del perpretador también se callan la boca, porque el secreto, si se riega, puede dañar a gente inocente.

Esto es trágico, porque en la vasta mayoría de los casos, el ofensor repetirá la misma cosa, especialmente si no recibe ayuda. Y hay una cosa terrible que se llama "Síndrome del vampiro". No es una condición médica. Es un triste fenómeno en el cual los que han sido violados cuando niños se vuelven violadores cuando grandes.

Y también hay mucha gente que se ve envuelta en el remolino de una sociedad que hace millones de dólares explotando el sexo. No estoy hablando precisamente de pornografía. Estoy hablando de los anuncios que explotan ruidosamente lo sexual en pantalones *jeans*, automóviles, jabón, refrescos y demás. Estoy hablando de la industria del cine, que ha creado la imagen de la "ramerita con corazón de oro", en películas que van desde las clásicas, hasta ganadoras de premio *Oscar* y éxitos de taquilla.

Cuando yo hacía la vida de las calles, las rameras eran invariablemente pobres muchachas drogadictas, explotadas, solitarias, que ansiaban patéticamente hallar otra clase de vida. Eran muchachas atrapadas, quebradas, endurecidas emocionalmente como clavos, y orillando la locura. No se parecían en nada esas que tú ves en la televisión, la chica de negocios ansiosa de ayudar al prójimo.

El sexo es algo que se vende bien, y la industria de los entretenimientos lo ha prostituido grandemente. En los años cincuenta se pagaban millones para ver películas inspirdoras como "El Manto Sagrado", los "Diez Mandamientos", "La más grande historia jamás contada". Pero la calidad es cara. Lo vulgar y popular no.

Toma a diez chicas adolescentes en diminutos bikinis, tres muchachos locos por sexo diciendo obscenidades y un tipo loco con un cuchillo de carnicero. Mezcla todo con alguna sangre, un poco de desnudez frontal, vistazos de senos y gluteos desnudos, e insinuaciones de sexo depravado. ¿El resultado? Una película de bajo presupuesto destinada a producir diez millones de dólares en taquillas.

En un viaje en avión que hice recientemente, yendo a una cruzada, leí acerca del nuevo filme que ha hecho un conocido director de cine homosexual. No le voy a hacer propaganda aquí. Pero en la película ocurre lo siguiente:

- El joven actor River Phoenix en taparrabo, posando con un crucifijo como *G-String Jesus*. (Jesucristo con un pequeño taparrabos).
- Erotismo homosexual cuando Phoenix y el actor Keany Reeve representan patéticos muchachos de la calle practicando prostitución masculina, "haciendo trucos para sobrevivir".
- Y grotesco diálogo tal como "Porque, tú no mirarías el reloj a menos que las horas fueran líneas de cocaína... o el es un buscavidas en cuero negro...".

¡Y no pretendas que sólo mala gente es atraída por esta basura! Si yo fuera un chismoso, te daría nombres de políticos, evangelistas, artistas y figuras públicas que he conocido, que han tenido que buscar ayuda psiquiátrica por su afición a revistas pornográficas, películas "X" bisexualismo, prostitutas y otros pecados semejantes.

Uno de los mejores evangelistas que conozco, hombre joven, recientemente tuvo que tomarse un año de vacaciones y trabajar en el mundo secular, y remendar su matrimonio y su relación con el Señor, después que fue sorprendido excitándose secretamente con pornografía infantil.

Entonces, ¿por qué hemos de sorprendernos cuando nuestros hijos son sorprendidos en un juego pervertido? ¡La sociedad los tiene bañados en la risa idiota del sexo ilícito! Las revistas de modas les dicen que deben ser *sexys*, así los chicos del tercer grado gustarán de ellos! ¡Aun las revistas cómicas de historietas describen a héroes semidesnudos!

¿Por qué nos vamos a asombrar entonces cuando nuestros hijos son fácilmente seducidos? ¿Por qué nos vamos a sorprender cuando ellos aceptan una oportunidad de hacerlo por sí mismos? Nosotros hemos aceptado la porquería como graciosa cuando aullamos de risa con el lenguaje sexual de *Cheers, Night Court, Married with children, Three's Company, Anything but Love* y *Roseanne*[1]

La nuestra es una nación obsesionada con el sexo, fijada en sexo, y atrapada en las distorsiones de este bello don que Dios ha dado al hombre y la mujer.

¡Nuestros hijos están experimentando con revistas, televisión, películas, música de *rock n' roll* y popular, novelas de éxito y publicidad, todo ello elevado al cielo como maravilloso!

Estamos levantando una nación de confusos pequeños mirones, exhibicionistas, *voyeurs*, y adictos a la pornografía —vociferando por un lado que el sexo es malo, entonces diciendo por otro que es maravilloso.

1 Todos programas de televisión norteamericanos nocturnos —en horario estelar— que ya se exhiben en muchos países latinoamericanos traducidos al español.

¡Entonces, cuando son seducidos por tanta cosa, nuestros hijos experimentan naturalmente una pesada culpa, vergüenza y confusión, que son parte del paquete, ¡sin mencionar los herpes, enfermedades venéreas, embarazo indeseado y el terrible SIDA!

Y ellos son incapaces de negarse o parar. Lo mismo que los adictos a la heroína juran diciendo "No, lo haré nunca más". Sienten profunda pena y arrepentimiento por lo que han hecho.

Y aquí es donde la seducción satánica alcanza su blanco; después que tú has pecado, y pecado, y pecado, haciendo algo que te da placer, eres cogido en un dolor que no te lleva al arrepentimiento.

En vez de ello empiezas a creer que ya no hay salida. Que fuiste nacido así. Que Dios nunca volverá a perdonarte.

Y ello no importa.

Nada importa.

El goce de tu pecado se ha ido.

La excitación se ha desvanecido.

La negación echa raíces.

Y empieza la ingrata, aburrida búsqueda de algo más excitante, de algo más apelativo, de cualquier cosa que sepa mejor.

¿Cuál piensas tú que es la razón, para que el índice de suicidios de adolescentes sea en estos momentos el más alto en la historia de los Estados Unidos? Nuestros hijos han probado ya todas las tentaciones que hemos puesto delante de sus ojos, y las mentiras que les hemos dicho son demasiadas.

La muerte parece mejor.

Cada día, en los Estados Unidos, unas 3.000 adolescentes de escuela secundaria resultan embarazadas. Algunas son víctimas de incesto, a quienes un enfermizo y mórbido miembro de la familia ha iniciado en la fornicación. Otras han caído aturdidas por las estridentes mentiras que resuenan en sus oídos: ¡El sexo es la meta! ¡El sexo te hace madura! ¡El sexo te hace popular! ¡El sexo te da algo de lo cual podrás pavonearte! ¡El sexo te traerá a ti un apuesto caballero en brillante armadura que te rescatará de la pesadilla de tu vida sin significado!

¿Cómo podemos, tú y yo, contraatacar como soldados espirituales?

Como creyentes, debemos primero comprender la tremenda confusión de las víctimas.

El vacío.

El autodesprecio.

En un nivel, ellos saben que lo que han hecho es malo, y se sienten sucios y pecadores.

Por otro lado, lo que ha sucedido físicamente puede hacerlos sentir bien. En muchos casos el único amor y afecto que han sentido en su vida ha sido mientras practicaban sexo.

Melissa —la mujer que fue recogida en el hogar del médico cristiano y su esposa— era considerada una excelente esposa.

Pero ella, también, tenía un terrible secreto.

A través de toda su infancia, ella y sus hermanitas, habían sufrido abusos de parte de un abuelo.

Noche tras noche, siendo niña, Melissa, debía someterse a los manoseos del abuelo. Aun peor, ella temblaba en su cama oyendo los penosos gemidos de sus hermanitas que también eran abusadas. Cuando las otras niñitas gritaban, Melissa no hacía el menor ruido, sólo cerraba los ojos, agradecida que no era su turno.

Cuando tenía catorce años ideó la manera de escapar de ese infierno. Se hizo embarazar por un muchacho de dieciocho años y lo obligó a un casamiento casi a punta de pistola. Poco después su hermanita de once años cometió suicidio tirándose de un puente del ferrocarril. La otra, de trece años, se escapó de la casa y desapareció en la cultura de drogas de los años setenta. Años más tarde reapareció, pero totalmente destrozada moralmente.

Y Melissa vivía siempre con el dolor de saber que ella había cerrado sus ojos al sufrimiento de sus hermanas menores. Había dado la espalda a su tormento. Había adormecido su mente y sus emociones.

Pero una noche todo aquel espanto de la infancia volvió de nuevo.

La pesadilla retornó con todo el horror de una película de Hollywood. Una noche, Melissa oyó otra vez los gritos y gemidos familiares. Llena de terror se sentó en la cama y se dio cuenta de que su marido estaba violando a su hijita de siete años.

Mordiéndose los labios tembló en las tinieblas, pensando en la otra niña, la de cuatro años.

Pero no hizo nada.

A la mañana siguiente cambió las sábanas de la camita de la de siete años. Tan suavemente como pudo le dijo a la niña que era su deber obedecer y respetar a su papá.

Las cosas siguieron peor.

El horror continuó noche tras noche. Durante el día su marido podía ser un padre bueno y cariñoso, que abrazaba tiernamente a sus hijitas. Pero tarde en la noche ocurría lo indecible.

Melissa se quedaba petrificada, incapaz de intervenir. Y presentía que la otra hija estaba aterrada también, con los ojos llenos de lágrimas por el sufrimiento de la hermanita.

Un día el marido compró una cámara de video. Dijo a Melissa que con ella podían ganar una cantidad de dinero, vendiendo fotografías de las niñitas desnudas envueltas en actos sexuales exóticos.

Algo estalló en la cabeza de Melissa.

A la mañana siguiente Melissa cargó a sus hijitas en el auto, la nueva cámara de video, la colección de monedas del marido y corrió al banco. Sacó de allí 4.500 dólares en bonos del estado, de la caja de seguridad.

Vació las cuentas de cheques y de ahorros, y manejó 800 kilómetros hasta Dallas, Texas. En el directorio telefónico halló el número de un refugio para mujeres maltratadas.

Llamó al refugio, contó su historia, y le dieron instrucciones de cómo llegar. Allí se ocultó por tres semanas.

Un domingo por la noche fue a una iglesia cercana, y pasó adelante cuando hicieron el llamado al altar.

Vivió con el médico cristiano y su esposa durante seis semanas. Luego pudo conseguir un trabajo y un apartamento. Hoy en día vive en un suburbio de Forth Worth, y continúa recuperándose.

Y sus hijitas están sanando también.

El incesto es una cosa terrible.

Le enseña a un niño que hay algo como "amor malo". Algo sin compasión que sólo oculta egoísmo y dolor.

No estamos hablando de una adolescente promiscua, sino de niñas que han sido violadas.

A menudo el niño ama a la persona que lo seduce. Y al mismo tiempo, odia a esa persona.

La víctima de una violación necesita consuelo, y a Jesús, sí. Pero el incesto es mucho peor. La víctima de una violación puede sentir ira y rabia contra su atacante.

Pero en un incesto la cosa es mucho más difícil.

Consideremos el horror de ser seducido por la persona que uno ama.

Alguien a quien se supone hay que obedecer.

El papá.

El hermano mayor.

El primo, o el tío.

La hermana.

Consideremos el dolor, la confusión, especialmente si el ofensor es bueno, amable, paciente y enseña a la víctima a disfrutar de la experiencia.

¡Mira la destrucción!

¿Cómo puede la pequeña víctima respetar o amar a esa persona otra vez?

¿Cómo puede distinguir el inocente el amor bueno del amor malo?

¿Amor malo? El término resulta incomprensible. Confuso. Malo. ¿Y cómo puede llamarlo así un corazón infantil, tierno y dulce?

Cuando se investiga un caso de incesto, la niña puede ser llamada a declarar en contra de alguien a quien ama, alguien que tiene mucho significado en su pequeña vida.

Y entonces la niña vivirá con la convicción de que porque ella se dejó seducir, y luego contó todo acerca de la persona que amaba, esa persona está ahora en la cárcel.

Es la falta suya.

Es fácil para ti y para mí odiar a un violador de niños, y demandar que sea encerrado en la cárcel por toda la vida.

Pero también la persona que ofende es hijo de Dios, luchando contra la servidumbre al pecado.

Jesús se preocupó por las víctimas del pecado sexual a través de todo su ministerio en la tierra. Habló duramente en contra de los hipócritas líderes religiosos de su día, que despreciaban a las prostitutas de las calles que se arrepentían.

¡Debemos tener la misma misericordia de Jesús!

¡Pero nuestros corazones gritan con angustia, porque tampoco debemos ser tontos, invitando a los lobos a que vengan a devorar nuestro rebaño!

Busca fervientemente al Señor antes de aventurarte en las peligrosas aguas del ministerio a las víctimas del pecado sexual.

Pídele al Señor te dé fortaleza.

Sí, debemos contraatacar. En poder. En fuerza, y con enorme efectividad.

Pero ora por sabiduría.

Pon atención a Su voz, quieta y suave, porque quizás El quiere ponerte en otro ministerio. Quizás tu papel sea simplemente amar a las víctimas y guiarlas a un psicólogo cristiano calificado y competente.

Esta clase de batalla espiritual es sumamente grande. Tú y yo podemos caer fácilmente en las emociones y la manipulación de las personas ofendidas. Debemos tratar muy sabiamente a los ofensores, capacitándolos espiritualmente para que no vuelvan a cometer el mismo pecado.

Y también hay problemas de índole legal. Si alguien viene a ti, y te confiesa haber cometido tales y cuales delitos, tú te haces cómplice de él si no lo denuncias a las autoridades. Cierto, hay algunas excepciones si tú eres un pastor, o un consejero profesional, o un abogado, y disfrutas de la inmunidad que algunos estados permiten. Pero por eso te conviene conocer la ley.

Un pequeño escándalo puede hacerse inmenso si se halla que una iglesia está protegiendo a un abusador de niños.

El trabajo tuyo y mío es llevar el amor de Cristo a las personas que están angustiadas. Llevarles el perdón y el poder sanador del Espíritu Santo.

Por eso, no te metas precipitamente en la consejería.

Hay profesionales a quienes se les pueden pasar los problemas. Tú debes dirigir a ellos la persona necesitada.

Es vital que la consejería psicológica o psiquiátrica sea dada por un cristiano. La psicología secular puede hacer un gran daño. Ella no ofrece el poder sanador de Jesús. Muchas veces el señor psiquiatra está tan enfermo como el mismo paciente. En algunas escuelas el pensamiento de incesto y promiscuidad son defendidos como expresiones naturales de un amor no comprendido por nuestra cerrada sociedad. A ti no te gustaría que alguien a quien amas sea perjudicado por tan impía confusión.

Por ejemplo, conozco la esposa de un pastor que fue a pedir consejo a un psicólogo local.

"Su dignidad personal ha sido destruida por la dogmática dominación de su marido" —le dijo este psicólogo no cristiano—. "Usted necesita probar su independencia a usted misma. Necesita encontrar un amante. ¿Conoce a alguien a quién usted ama realmente? ¿Alguien con quien tener un pleno, excitante y tórrido romance?"

Pero en muchas ciudades hay buenos psicólogos cristianos. Aunque algunos de ellos cobran caro, pueden recibir cualquier pago de las compañías de seguros. Otros, con espíritu cristiano, se conforman con lo que tú puedas pagar.

Cuando gentilmente ames a las víctimas recuerda ser sensible a su fragilidad. Muchas veces no han tenido una buena amistad que no esté relacionada con el interés sexual.

Esto puede representar un desafío en sí mismo. Porque de repente puedes estar teniendo relaciones sexuales con la misma persona que querías ayudar. ¡Si esto es así, busca consejo inmediatamente! Búscate el mejor profesional.

¡No vas a ayudar a ninguna persona dañándola más tú mismo!

¿Qué si tú mismo has sido una víctima?

¿Qué si tú que estás leyendo estas líneas, estás deseando saber cómo romper las ligaduras, y salir del ciclo de pecado y mentiras de tal relación?

Tu historia puede tener el mismo final feliz que tuvo la de Melissa. El médico cristiano que recogió a Melissa la condujo a un psicólogo también cristiano que la ayudó a comprender muchas cosas:

- Primero, estoy absolutamente indefensa cuando me veo cara a cara con un ofensor. Aunque era el profundo deseo de mi corazón, no pude hacer nada para detener o impedir mi propia violación y la de mis hijitas.
- Esta pesadilla fue una terrible obsesión en mi vida y la de mis hijitas.
- Estoy en servidumbre de este pecado, y deseo salir de él.
- No puedo salir de este problema por mí misma.
- No puedo culpar más a mi abuelo, o a mi marido —o a mis hijas, o a la economía, a los perversos medios de comunicación, o a las circunstancias que me rodean.
- Tengo que tomar medidas para detener este pecado —con la ayuda de Dios y pidiendo su protección, de todos aquellos que me hirieron a mí y a mis hijas.

¿Por qué Melissa tuvo que pasar a través de toda esta letanía?

Muchos adultos en la sociedad de hoy tienen dificultad en aceptar su propia responsabilidad. Melissa era responsable de una gran cosa. Cuando ella se sentó petrificada en su cama y no hizo nada, y cuando le dijo a la niñita de siete años que debía obedecer a su padre, ella pecó.

Ella pudo haber detenido el horror.

Y de todos modos, pudo haberlo tratado.

Melissa comprendió que ella había tenido dificultad en tomar toda la responsabilidad. Por ejemplo, en el tiempo cuando su marido violaba a las niñas, ella pudo subir al auto y manejar a 140 kilómetros por hora, aun en medio de la noche.

¿Por qué?

Ello le hubiera dado algún alivio.

Una noche fue detenida por un policía que le dio una citación.

Melissa se enojó con el policía. ¡Era falta de él! ¡El debió dejarla correr! ¡El policía sabía que ella no podía enfrentarse a su marido con una multa de 125 dólares!

Fue a la corte y se puso a pelear con el juez, quien la amenazó con hacerle un cargo mayor si no dejaba de llorar y culpar al policía, al fabricante del auto y al marido.

Cuando pagó la multa se puso furiosa con el empleado, que para ella no era un modelo de eficiencia.

Nadie era suficiente bueno para ella.

Todos eran idiotas... que se solazaban infligiendo dolor a la pobre, indefensa Melissa... a lo menos en sus propios ojos.

Estaba atrapada en la actitud de culpar a medio mundo por sus propias desgracias.

—¡No es mi falta. Es la falta del juez, es la falta del policía, es la falta de mi abuelo, es la falta de mi marido!

La libertad comienza cuando decimos: "No es la falta de nadie, sino la mía".

Melissa comprendió que mientras ella creyese que todo lo que había sucedido era la culpa de otros, y no la suya, estaría siempre en riesgo.

Como víctima de incesto en su infancia era completamente inocente de ello. Había sido víctima sin desearlo ni buscarlo. Pero el pecado continuó siendo ella ya adulta. Y resultó en daño para sus propias hijas.

—No fue mi falta que yo haya sido violada cuando niña. Fui la víctima —dice ella hoy—. Pero como adulto pude hacer una decisión. Y tomé esa correcta decisión cuando Dios me ayudó.

Melissa encontró libertad cuando cesó de justificarse a sí misma. Cayó enteramente bajo la misericordia del Señor.

Reconoció que Dios tiene razón cuando dice que todos pecaron y están destituidos de la gloria de Dios, y que no hay justo ni aun uno.

El apóstol Pablo se describe a sí mismo como el primero de los pecadores. Cierta vez un evangelista estaba predicando sobre ese pasaje, y cuando terminó una mujer vino a él.

—¿Es eso cierto? —preguntó la mujer—. ¿Dice realmente la Biblia que el más grande de los pecadores puede ser salvado?

—¡Sí, lo dice! —le contestó el predicador.

—Si el más grande de los pecadores puede ser salvo, ¡yo también puedo! —ella dijo.

La sangre de Jesucristo se derramó por cada pecador, por cada ser humano. La sangre de Jesús limpia de todo pecado y de cualquier clase de pecado.

No hay pecado que esté más allá de su capacidad o de su voluntad de salvar.

Hoy en día, Melissa ha hecho algo que es absolutamente vital para recuperarse. Continúa su compañerismo con los creyentes.

Sus hijitas adoran al médico cristiano y su esposa, y les llaman "abuelo" y "abuela".

Melissa ha entrado sabiamente en la corriente sana de la vida y no se considera más a sí misma una víctima del incesto.

Tales calificaciones no son sabias.

Seguramente, Melissa podría tener un ministerio entre víctimas de incesto.

Pero sus hijas merecen dejar el horror detrás y no tener que flotar en la tragedia de su pasado, reviviendo el horror de aquellos abusos.

Su marido sabe que cuando las niñas fueron examinadas por un médico en el refugio de mujeres, se halló que habían sido víctimas de abuso sexual. Una de las niñas padecía gonorrea. El médico que las examinó, cristiano también, documentó cuidadosamente todos los análisis.

Debido a que la gonorrea tiene que ser informada al Departamento de Salud, el Departamento de Bienestar Social tomó cartas en el asunto y las niñas tuvieron que relatar detalladamente todo lo sucedido.

Afortunadamente su madre las había puesto con anterioridad en el bien respetado hogar del médico cristiano, y así las chicas no fueron colocadas en otro lugar.

Así las cosas, no se llevó ninguna acción contra el padre porque el caso había ocurrido fuera del estado de Texas.[2]

Pero, el padre lo sabe bien, si Melissa regresa a su propio estado y presenta toda la documentación, él podría ser enviado a prisión por 20 ó 30 años.

Y también sabe que en las prisiones de muchos estados el violador de niños tiene apenas seis meses de vida. Los otros presos se encargan de aplicarle la pena de muerte.

Su marido está viviendo por ella.

Ella le ha hecho saber que si él desea ir a los tribunales para recuperar a sus hijas, podría perder todo, empezando por su libertad. Ella lo deja estar con sus hijas siempre que Melissa esté en el mismo cuarto también.

Y nunca le permite pasar la noche en el mismo edificio con ellas.

Ella insiste en que él debe recibir consejería.

Y él está asistiendo a la iglesia. La gran esperanza de Melissa es que un día su marido se convierta y entonces comience para él el proceso de sanidad.

El médico y su esposa sabían que Melissa lo que más necesitaba era compañerismo, particularmente al principio cuando vino por primera vez al Señor. Necesitaba el compañerismo y cariño de otras personas.

2 En los Estados Unidos cada estado tiene diferentes leyes y gobierno propio en algunos asuntos

No hubiera sido lo mismo si ella se hubiera encerrado en su cuarto a ver televisión cristiana o leer libros de autoayuda psicológica.

Ella necesitaba *koinonía*, la vieja palabra griega para una abierta, franca y leal amistad con otros cristianos de la misma preciosa fe. Es la clase de compañerismo donde Melissa puede escuchar intensamente como otros comparten su corazón y sus sentimientos. La clase de compañerismo donde sus hermanos y hermanas en Cristo le señalarán amablemente el error si ella se sale de la línea.

Es la clase de compañerismo donde la gente ora por ella, la anima a asistir a la iglesia y estudiar la Palabra de Dios.

Es la clase de compañerismo donde cada uno cuida de los otros.

Yo he visto esta clase de compañerismo en la costa oeste, en la iglesia de mi hermano Sonny Arguinzoni, y en las congregaciones que él ha ayudado a comenzar.

Ellos también han convertido sus hogares en hospitales del Espíritu Santo, recibiendo a nuevos creyentes por seis semanas y nutriéndolos con amor y *koinonía.*

Si tú no estás buscando ninguna iglesia, la gente de Sonny te amará, te buscará, te hallará dondequiera que tú estés, y te dirá lo que está mal en tu vida, dónde estás enfermo, sea que andes lejos de la ciudad o estés sentado en tu casa sintiendo pena por ti mismo.

Estoy esperando grandes cosas para Melissa.

Ella ha pasado a través del fuego.

Ahora ella está bien. Está orando para que el Señor restaure su matrimonio. Y que sane el terrible abismo que hay entre su marido y sus hijas. Ellas tienen que amarlo.

Y hay algo increíble en cuanto a Melissa. Ella está esperando el día cuando pueda abrir su hogar para alguien que necesite ayuda.

Ella sabe lo que es estar sola y desamparada.

Ella conoce lo que es el dolor.

Y conoce la victoria.

Y esta antigua paralítica emocional, que un día nada hizo para evitar que sus propias hijitas fueran violadas, está lista para que su pequeño apartamento se convierta también en un hospital del Espíritu Santo.

Sí, podemos contraatacar con oración y liberación. Como cristianos tenemos que aprender cómo sobreponernos a los poderes de las tinieblas.

El incesto está inspirado diabólicamente y el ofensor necesita liberación. ¡Y con la ayuda de Dios puede obtenerla!

Tenemos que hacerle frente a Satanás y sus demonios en combate.

¡Y siempre ganaremos!

Capítulo 9

Tu casa, un hospital

¿Deseas tú llevar una persona al Hospital del Espíritu Santo?

¿Dónde está ese hospital? Puede estar en tu propia casa.

¿Cómo podemos enseñar a cualquier persona a batallar en contra de los terribles abusos de niños que fueron descritos en el capítulo anterior?

¿Qué clase de peleadores de las calles desea Jesús que seamos? Los capítulos 5, 6 y 7 del evangelio de Mateo (El Sermón del Monte) contienen las mejores indicaciones para el guerrero cristiano, no importa qué batalla espiritual está librando. Pon en práctica todos esos consejos y llegarás a ser mucho más efectivo de lo que puedes ser actuando en tu propia sabiduría y fortaleza.

He aquí la lista:

"Bienaventurados [y buenos para ser enviados] sean los humildes que se consideran a sí mismos

totalmente insignificantes: porque de ellos es el reino de los cielos".

¿Cómo puede este texto ayudarte a ti a tratar el caso del hijo de un pastor que viola una pequeña niña?

Fácilmente: Si no te dejas apresar por la seducción de tu condición personal, estarás mejor capacitado para hacer lo recto cuando trates un asunto muy delicado.

Haz que la política no tenga importancia para ti, de modo que no le temas a nadie si te amenaza con hacerte perder una posición que te gusta.

Acepta esta humilde verdad: Si Dios desea que tú estés en el lugar donde estás, El te mantendrá allí. De modo que, haz lo que es recto, sin temor a perder tu reputación. Jesús cuidaba tan poco su reputación que andaba tranquilamente acompañado de pescadores del mar de Galilea, se hacía amigo de cobradores de impuestos deshonestos y permitía a las prostitutas que le lavaran los pies con sus lágrimas. ¡El lavó los pecados de todo el mundo cuando fue ejecutado, ridiculizado por extranjeros, en pública humillación, colgado en el aire junto a dos ladrones!

¡Si tu reputación o nivel social no son dados por Dios, mejor que lo pierdas!

Tampoco pienses que tú tienes todas las respuestas. Cuando alguien que tú conoces y amas está metido en una situación como ésta —ya sea víctima o victimario—, busca fervientemente al Señor. ¿Dónde se puede hallar ayuda para esta persona? ¿En los grupos de ayuda? ¿Con consejeros locales? ¿En un buen libro que trata el asunto? Pídele a Dios que te dé sabiduría.

"Bienaventurados los que lloran, porque ellos recibirán consolación".

Debemos ser capaces de llorar. Debemos sentir dolor, y no endurecernos a nosotros mismos. Y debemos buscar sanidad de Aquel por cuyas heridas hemos sido curados.

¡Eh!, esto no es cosa fácil para mí, un machista y recio latino, me gusta pensar como soy.

Pero yo conozco la verdad: hombres verdaderos lloran.

Debo llorar junto a aquellos que lloran. Debo sentir el dolor de la madre cuya hija ha sido violada. ¡Debo sentir pena junto a esa niñita que piensa que el sexo es una diversión más! Y debo sentir pena por ese muchacho de catorce años que abusó de ella y debe arrepentirse de su perversión, y aprender —como sólo Dios puede enseñarle— la pureza y gozo del sexo cuando se practica como Dios manda.

Si yo hago eso, me hallaré haciendo lo mismo que hacía el Señor Jesús, rescatando a la adúltera a punto de ser apedreada, entrado a comer a casa de Zaqueo, el astuto cobrador de impuestos, y perdonando al ladrón crucificado junto a El en el Monte Calvario.

> *"Bienaventurados los mansos, porque ellos recibirán la tierra por heredad".*

Si tú nunca acusas falsamente, y nunca exhibes el pecado de otros públicamente, serás un guerrero poderoso. La gente no te acusará a ti tampoco. Por el contrario, respetarán tu juicio. Y no temerán de seguirte a ti en la batalla, peleando al lado tuyo.

Pero, ¿qué si tenemos que responder a un pecado terrible? Bien, sigamos los lineamientos que nos da Jesús, y que ya hemos discutido en este libro, cuando hablamos de enfrentar a los satanistas. Las mismas reglas sirven para unos y otros.

> *"Bienaventurados los que tienen hambre y sed de justicia, porque ellos serán saciados".*

Hay mucha paz en los corazones de aun los más recios guerreros, cuando buscan a Dios en la quietud de su tiempo en privado con El.

Mis devociones diarias no son un tiempo cuando tengo pensamientos felices y trato de concentrarme en un oscuro texto seleccionado para mí por un manual de devociones. ¡No! ¡Es un tiempo cuando traigo todas mis tribulaciones y problemas al Creador del universo!

¿Por qué? El tiene las respuestas.

El calmará tu atribulado corazón.

¡El desea también que tú lo conozcas! No importa cuán grave sea la crisis por la cual estás pasando, cuando tú te acercas a El en absoluta privacidad —solo tú y El, uno frente al otro—, esa crisis desaparece.

El restaura tu mente, dándote claridad y rapidez de juicio.

Y El tirará abajo tus murallas de Jericó, y partirá en dos tu Mar Rojo. Después de todo, ¿quién podrá venir contra ti cuando estás al lado de El?

¡Tú estás hablando a Uno que es capaz de hacer todas las cosas bien! El puede reprenderte cuando has hecho mal. Y El puede consolarte cuando admites tu estupidez.

Y puede correr en tu rescate mucho más rápido que un batallón de caballería. Y puede cubrirte con Su amorosa protección.

> *"Bienaventurados los misericordiosos, porque ellos alcanzarán misericordia".*

No seas demasiado rápido en condenar.

Algún día recibirás el beneficio de alguien que no corre a denunciarte.

¿Está eso bien hecho?

¿Es justo? Bien, ¿no estás tú contento por no haber sido acusado de algo malo que hiciste? Yo he hecho cosas de las cuales no me gusta hablar hasta el día de hoy.

Las he confesado a mi Señor.

Y estoy feliz de que El nunca me echó a mí en prisión. En vez de eso me perdonó.

Y así yo debo perdonar a otros. Especialmente cuando me han jugado muy sucio, oro por ellos.

Y pongo todo el asunto en las manos de Dios.

Busca al Señor antes que busques venganza, o trates de que alguien sea castigado. Ora delante del Señor. Y deja que tu ira se apague.

> *"Bienaventurados los de limpio corazón, porque ellos verán a Dios. ¡Amén!"*

Y sigue leyendo, amigo mío:

> *"Bienaventurados los pacificadores, porque ellos serán llamados hijos de Dios".*

> *"Bienaventurados los que padecen persecución por causa de la justicia porque de ellos es el reino de los cielos".*

> *"Bienaventurados sois cuando por mi causa os vituperen y os persigan, y digan toda clase de mal contra vosotros, mintiendo. Gozaos y alegraos porque vuestro galardón es grande en los cielos; porque así persiguieron a los profetas que fueron antes de vosotros".*

La lista que hallamos en los capítulos 5, 6 y 7 de Mateo continúa. Léelos en tu Biblia. He aquí algunos de mis favoritos.

> *"No juréis, ni por el cielo ni por la tierra. Pero sea tu hablar sí, sí, y no, no".*

> *"No resistas al malo que te injuria; pero si alguien te golpea en una mejilla, ponle también la otra".*

> *"Si alguien desea ponerte a pleito y tomarte la camisa, déjale también la capa. Y si alguno te cargare por una milla, ve con él dos".*

"Amad a vuestros enemigos y orad por los que os persiguen, para que vean que tú eres hijo del Padre que está en los cielos. Porque si amáis sólo a los que os aman, ¿qué hacéis de más? Y si saludáis sólo a los que son vuestros amigos, ¿no hacen lo mismo los paganos?"

"Haz el bien quietamente y sin ninguna publicidad".

"No estés ansioso pensando ¿qué comeré? o ¿con qué me cubriré? Tu Padre celestial conoce muy bien lo que necesitas. Buscad primeramente el reino de Dios y su justicia, y todas las demás cosas os serán añadidas".

"No juzgues ni condenes a nadie, y nadie te condenará a ti".

"Ten cuidado de los falsos profetas. Por sus frutos los conocerás. Un árbol bueno no puede dar malos frutos, ni un árbol malo dar frutos buenos. Y así debe ser con los maestros de la verdad: examina los frutos de sus labores".

¡Ay, bendito...!

Estas son las claves para una efectiva batalla cristiana.

¿Cómo puede ser esto? Más bien parece una receta para ser un apocado.

No. El Señor sabía lo que estaba hablando.

El sabe que Dios nos está edificando a ti y a mí en una manera especial. El sabía que somos felices sólo cuando obedecemos esas reglas. ¡Cuando somos hacedores de la paz, cuando no nos afligimos sobremanera, y cuando somos puros de corazón! ¡Toda suerte de bendiciones y de poder son nuestros cuando somos pacientes, lentos para la ira, misericordiosos y anhelosos de vivir cerca de Dios y somos humildes sin juzgar a nadie!

¿Quién puede hacer esto sin embargo?

Tú puedes.

Jesús pudo.

¿Y cómo contraatacaba Jesús?

Poniendo en práctica todas estas reglas, comenzando con las sencillas "bienaventuranzas" cada día.

Como resultado, ¿fue Jesús un apocado y pusilánime, un hombre que se dejó abusar y pisotear por hombres violentos?

¡De ninguna manera!

Lee en el evangelio de Mateo, capítulos 12 y 16, y ve lo que hizo Jesús cuando falsos maestros trataron de provocarle a que hiciera algo por lo cual hubieran podido arrestarlo.

Ellos lo acusaron en alta voz de hacer milagros en el poder de Satanás, en este caso, echar fuera demonios. Bien, Jesús les replicó enseguida: ¡Víboras! Un reino dividido contra sí mismo no puede resistir. Una casa dividida contra sí misma no puede permanecer. Así que si Satanás echa fuera a Satanás, estaría dividido contra sí mismo. Pero expulsó demonios por el poder de Dios. ¿Cómo vosotros, siendo malos, pretendéis hablar buenas cosas? ¡Generación de víboras!

Por cierto que esta respuesta no es de uno delicado como un lirio.

Son palabras bien duras.

Reprendieron a sus ofensores profundamente. Pero les dieron una oportunidad de cambiar sus malos caminos. La Biblia menciona un número de hombres, grandes líderes del pueblo, que terminaron siguiendo a Jesús, tales como Nicodemo y José de Arimatea.

Así que, ¿qué es esto para mí y para ti?

¡Debemos estar firmes contra el mal!

Jesús no desafió nunca a nadie a pelear. Trató a sus enemigos con ira justa, ¡y con sabia misericordia!

Reprendió a Pedro porque en el jardín de Getsemaní sacó una espada para defender al Maestro con el frío acero. Y en vez de pelear a espada se sometió mansamente a los abusos y escarnios de sus enemigos.

Y en este proceso, en obediencia a la órdenes de Su Padre, ¡cumplió profecías de miles de años, ganó la salvación eterna para ti y para mí, y venció a Satanás para siempre!

Por vivir las "bienaventuranzas"

¡Esas palabras de poco valor!

Consideremos lo que ocurrió con Lesleye. Después de sufrir durante años los abusos de un marido brutal, impredecible, irracional, Lesleye tomó a su pequeña hija y escapó del hogar.

Para poder comprar alimentos Lesleye vendió su propia sangre en un centro de plasma ubicado en un callejón. Fue en ese callejón que vio un volante donde anunciaban un centro en la ciudad para personas sin hogar. Con vergüenza tomó a su pequeña hija, Tonya, y fue a ver.

Allí le dieron un viejo catre militar y la ubicaron en una barraca vieja y fría, junto con otras treinta y cinco mujeres sin empleo que estaban también con sus hijos. Gentes voluntarias habían dividido los cuartos con tabiques.

En ese sórdido refugio, Lesleye oró: "Señor, necesito ayuda. No sé ni siquiera qué pedir, pero necesito ayuda. ¡Protégeme Padre! Envíame a alguien que me diga lo que Tú quieres que yo haga".

¿Por qué tal oración?

Porque eso era lo que ella requería. Necesitaba un amigo. Una buena amiga que le mostrase qué hacer para que la vida sea buena.

Pero tales amigos o amigas no se encuentran en cada esquina. En efecto, si alguien pretende ser tal amigo, hay que tener mucho cuidado. En su extrema vulnerabilidad, eso fue lo que Lesleye buscó.

Una trabajadora social de mediana edad, llamada Agnes, se cruzó con Lesleye y Tonya en el refugio y se dio cuenta de que esta familia era diferente.

No eran simplemente gente abandonada, sin casa. No eran de esos pobres crónicos, a quienes dijo Jesús que tenemos que amar y ayudar.

No, estas dos personas eran diferentes.

Aunque Agnes no era una gigante espiritual —no era Juana de Arco oyendo voces celestiales, no era Corrie ten Boom decidida a combatir a los nazis—, Agnes oyó la voz de Dios. No era una palabra fácil la que ella oyó en lo profundo de su espíritu. "Toma estas dos personas contigo y ámalas igual que a tus propios hijos", fue el mensaje.

Agnes hizo un gesto de incredulidad cuando sentó a la pequeña Tonya en sus rodillas. No, ella no podría llevar a su casa a esta madre y a su hija.

Eso iba en contra de todo lo que había aprendido en sus cuarenta años como trabajadora social. ¿Llevar un cliente a la casa? No, nunca.

No, ella sabía que no debía involucrarse demasiado emocionalmente. Ella tenía que ser profesional, analítica, imparcial.

Sabía que todos los asuntos de su trabajo tenían que ser tratados en horas de oficina. Después de esas horas ella debía disfrutar de su vida privada, separada por completo de su vida profesional.

Se merecía esa vida.

No podía empezar a arrastrar hacia su hogar a cachorritos de la calle.

Pero entonces, inesperadamente, se sentó junto a Lesleye y Tonya el domingo en la iglesia. Se mostró amigable, pero aparte.

Pero cuando la congregación se puso a cantar, Agnes notó el tremendo dolor y pena en la faz de Lesleye.

Y se dio cuenta de que había oído al Señor correctamente. Tenía que amar a Lesleye y Tonya.

Igual que a sus propios hijos.

Agnes invitó a las dos a almorzar.

Y en un pequeño restaurante escuchó la historia de Lesleye, y su corazón fue tocado. La invitó a que viniera a su casa.

Las dos se hicieron íntimas amigas en muy poco tiempo.

Agnes sugirió a Lesleye que se sumergiera en las Escrituras, llenando su mente, corazón y alma con las maravillosas promesas de Dios.

Las cosas no fueron fáciles siempre. Una vez, cuando Lesleye cayó en una profunda depresión, y no quería salir de su cuarto, Agnes tuvo que ponerse fuerte. Le dijo a Lesleye que tenía que salir de casa y no volver hasta que por lo menos buscara trabajo en cinco firmas distintas.

Cuando Lesleye rehusó, avergonzada de cuán fea se veía faltándole un diente delantero, que le había sido arrancado el día que escapó de casa, Agnes se arrodilló con ella en oración.

—No tengo dinero para hacerte arreglar ese diente —dijo Agnes—, y menos lo tienes tú. Sin embargo, Dios puede hacerlo.

Ese día Lesleye tuvo que tragarse su orgullo y salir a buscar trabajo. Agnes buscó una agencia del gobierno que proveyera asistencia dental.

Encontró dos programas diferentes.

Y antes que Lesleye comenzara un trabajo de medio tiempo en los restaurantes *Burger King,*[1] le habían puesto una pieza temporal que la libraba de lucir desdentada.

¿Se enojó Lesleye de verse forzada a buscar trabajo?

Al principio sí.

Pero luego, cuando su autoestima retornó al enfrentarse con el público, haciendo un buen trabajo, y ganando la aprobación de su jefe, Lesleye no podía creer que existía en el mundo una persona como Agnes.

Agnes le había mostrado, no con palabras, sino con hechos que es posible para una mujer sola sobrevivir a sus problemas sin estar terriblemente solitaria. Y le mostró a través de su vida cómo Jesús podía ser el Sumo Sacerdote de la familia.

Y Agnes, sin darse cuenta, convirtió su casa en un hospital del Espíritu Santo, al mostrar a Lesleye cómo contraatacar

1 Cadena de restaurantes de comida rápida.

armándose ella misma con las Sagradas Escrituras y el poder de Dios dentro de ella.

Envuelta en el amor de Dios, y bajo el cuidado amoroso de Agnes, pronto Lesleye dejó el "cuidado intensivo".

Consideremos ahora cómo este concepto funcionó con Astrid.

Astrid es una bella mujer. El tipo de mujer que hace volver las cabezas en una multitud. Es alta y elegante, con cabellos color caoba y ojos hispanos, oscuros, relampagueantes y amistosos.

Uno podría esperar verla en algún concurso internacional de belleza, representando a Chile, o Italia, o México, con su ondeante cabello, sus labios de rubí, y un perfecto arreglo facial que pareciera no llevar nada.

Se mueve con donaire, demostrando tremenda confianza en sí misma. Con todo, oculta una indecible tragedia. En esos ojos bellos y simpáticos hay atisbos de un profundo dolor de largo tiempo.

Es tan hermosa que a menudo las mujeres tienen envidia de ella. Los hombres se intimidan en su presencia. Es demasiado perfecta. Parece una modelo de Nueva York que accidentalmente hubiera bajado de su limousine en una dirección equivocada.

Pero su real belleza surge de algún lugar dentro de ella, de un espíritu que conscientemente se rindió al Todopoderoso Señor, a quien ella le ha dado todo. Ella es una verdadera sierva de Dios, deseando quietamente ayudar a todo aquel que necesita ayuda, aun si esto consiste en abrir su casa para él.

Lo que la gente no conoce es que Astrid ha sido probada por fuego.

Ella fue criada en Chile, ese bello país sudamericano, que es el doble más largo que California, con una población de doce millones y medio de habitantes, o algo así.

Es un país diverso, con altas montañas y grandes profundidades marinas, pero con un clima generalmente benigno, como el del Mediterráneo.

Astrid se crió en una fina familia de la clase media. Pero cuando tenía diecinueve años se enamoró. En un impulso de pasión y una tormenta de deseos cedió en su voluntad, ignorando las consecuencias, y de repente se encontró madre de una niña. Contra los deseos de su familia, Astrid decidió criar a su hijita.

Cuando tenía veintiún años de edad trabajaba para una compañía de aviación. Empezó a hacer vuelos entre Sudamérica y Estados Unidos. Soñaba con criar a su hijita, Celeste, en los Estados Unidos, la tierra de oportunidades. Celeste era la inspiración y alegría de su vida. Astrid quería darle algo más de lo que Chile puede proveer.

Astrid hizo una solicitud para poder vivir en Estados Unidos con su hijita como residentes permanentes. En Estados Unidos vivió con algunos parientes, perfeccionó su inglés y obtuvo un buen trabajo. Poseía una mente tremendamente comercial y una voluntad determinada. Sin tener ningún respaldo financiero comenzó su propio negocio de repostería.

Después de luchar bravamente dieciocho meses, era financieramente independiente, con una excelente lista de buenos clientes, que simplemente no tenían a nadie más que les preparara repostería para sus banquetes, cumpleaños, bodas, aniversarios y *Bar Mitzvahs*. Desde la nada ella había levantado toda una compañía con su talento, reputación y sentido del mercado. La gente acudía a ella por su honestidad, confiabilidad y elegancia.

Entonces conoció al hombre que ella pensó llenaría todos sus sueños. Ella deseaba lo que toda mujer desea, establecerse definitivamente y amar a un marido que cuide de ella y provea para ella.

Ella deseaba alguien a quien respetar y en quien confiar. Uno de sus sueños era combinar los talentos de ambos para levantar un próspero negocio los dos juntos.

Pero ella hizo a lo menos una cosa equivocada. No le preguntó al Señor acerca del hombre. No le preguntó si podía casarse con este caballero de brillante armadura.

¡Lo que siguió fue una horrible pesadilla!

El individuo era un "Casanova", de palabras seductoras y hablar suave. La convenció con promesas y la conquistó con regalos y flores.

Un maltrato tras otro reveló su verdadera personalidad. Era un bribón. No obstante eso, Astrid permaneció con él.

No pasó mucho tiempo sin que este hombre sin misericordia estuviera abusando de Astrid y golpeándola. Se volvió un animal vicioso, lleno de odio. Degradó a Astrid hasta convertirla en una nada. Hubo veces en que ella se encerró en su cuarto por días enteros.

A veces los efectos de las palizas la dejaban exhausta por semanas. En estos días atroces oraba al Señor y le pedía fortaleza para soportar su suerte.

Recordaba los días de su infancia, cuando fue criada en un hogar cristiano. Pero su voluntad para pelear contra este monstruo desaparecía. Gradualmente fue cayendo en apatía, aceptando resignada su sentencia. A veces deseaba huir, escapar a tanta tortura, pero medía las consecuencias y quedaba petrificada.

Pronto estuvo Astrid perdida en su devastante mundo de tormentos, la cual la dejó desilusionada y sin esperanzas. El solía agarrarla de las muñecas, arrojarla contra la pared y golpear su cara con los puños hasta que la delicada piel quedaba herida y sangrante.

Astrid se retorcía en agonía, caída en el suelo y resollando por aire. A veces él la arrojaba a la cama y ataba sus brazos y piernas a los postes, dejándola con lastimaduras y a veces inconsciente.

Astrid miraba a sus ojos buscando desesperadamente algo de humanidad y compasión. Pero lo único que podía ver era la mirada feroz de un demonio, deseoso tan sólo de arrojarla a los abismos de la desesperación.

El apóstol Pablo describe a esta clase de personas como "los que tienen cauterizada su conciencia con hierro".

Y la pequeña Celeste, mirando todo con ojos de espanto, no escapaba al mismo horror.

¿Qué había pasado?

Astrid había creído a las mentiras de la televisión y las películas. Se vino a los Estados Unidos detrás de una utopía.

Prosperidad.

El "sueño americano", según está pervertido por todos esos que compran y venden.

Aquí ella podría ganar suficiente dinero para comprar cualquier felicidad. Pero en lugar de ella, adquirió un horror indecible.

¿Dónde empezó ella a andar mal?

Puso el dinero y el éxito en un altar y comenzó a adorarlos, soñando con el día cuando podría tener un lugar entre las hermosas mujeres de *"Dallas", "Dynasty"* y *"Days of Our Lives"*, las grandes series de televisión norteamericanas.

Pero todo eso es una vida vacía.

Ella había dejado a Dios en Chile, ¿por qué no? En esa fantasmagoría de cuentos de hadas e ilusiones falsas del cine no hay nadie que adore verdaderamente a Dios. Allí los clérigos son criminales, locos o payasos, los creyentes son retrógrados, o viejas supersticiosas o tontos rematados.

La gente real adora el éxito.

Se glorían en tórridos romances.

Se recrean en la prosperidad.

Y viven en abandono, en medio de bendiciones financieras, abundancia material y excitación emocional.

Pero el mundo de Astrid no fue como ese.

Se hallaba en un verdadero infierno humano.

Clamaba por la muerte.

Pero ella no venía.

Trató de luchar con ira y orgullo. Pero vez tras vez recibió golpes y afrentas. Resentida, planeó el asesinato de su marido. Ella podría, como había visto en la televisión, rociarlo con gasolina y prenderle fuego mientras dormía, y ella contemplarlo mientras ardía.

Ningún jurado podría condenarla, pensaba ella llorando. Pero Astrid no era una asesina. Derrotada planeó su propia muerte. ¿Pero qué sería de Celeste? No podría dejar esa preciosa chiquilla en medio de todo ese horror.

Un día, escapó con Celeste.

Durante varias semanas estuvo oculta en un hotel barato. El canalla de su marido vendió el negocio, se fue de la ciudad con todo el dinero, y la dejó a ella cargada de deudas.

Solas en el pequeño cuarto del hotel, Celeste se sentaba en las rodillas de su madre, mientras ella le contaba las queridas historias bíblicas de la infancia. Historias del niño Moisés y del niño Jesús.

Los ojos de la pequeña Celeste brillaban como lucecitas de Navidad cuando su madre le hablaba de cómo Dios había protegido esos niños. Mientras se adormecía en los brazos de la madre, Celeste pensaba en tan bellos cuentos y en la grandeza y fidelidad de Dios. Y se imaginaba también que ella era uno de esos pequeños niños a quienes Jesús alzaba en brazos y se sentía entonces segura y tranquila, libre de todo daño.

Y su madre lloraba cuando le canturreaba las viejas cancioncitas infantiles:

"Cristo me ama,
Sí, Cristo me ama.
Sí, Cristo me ama.
La Biblia dice así".

Pero Astrid no tenía dinero. No tenía el negocio de repostería. No tenía crédito. Ni reputación.

Ningún hogar.

Ninguna esperanza.

Astrid hizo la única cosa que podía hacer.

Podía contraatacar... ¡sobre sus rodillas!

¿A quién podía acudir ella, sino a Aquel que nunca olvida a sus hijos?

Astrid buscó al Señor como nunca lo había hecho antes.

Y El la encontró donde ella estaba.

El la amaba.

Le concedió toda su protección, no obstante su terquedad y orgullo.

Sosegó su torturada mente, a pesar de su profunda ira y resentimiento.

Y le dio protección. Ella no tenía ninguna otra opción sino depender de la poderosa provisión de Dios que podía librarla de un infierno terrenal que los productores de Hollywood ni siquiera pueden imaginar.

No tenía ninguna confianza que Dios podría hablarle. Por eso buscó a una amiga que sí escuchaba la voz del Señor.

Y el Señor le envió una persona, Edna, con cuya ayuda Astrid recuperó parte de su confianza en sí misma y obtuvo una nueva esperanza en el Señor.

Se sintió libre de volar otra vez, como un pájaro, por las inmensas expansiones de los cielos. Llevando una Biblia en su cartera, dondequiera que iba, Astrid fue llenando su mente y corazón con las promesas del Señor. Jesucristo entró en la fortaleza de su alma y llegó a ser su Príncipe. Su Príncipe de paz.

En el día de hoy, Astrid es una paciente en el hospital del Espíritu Santo de Edna. Ya tiene otra vez su propio apartamento. En las noches de frío regresan a su mente los tristes recuerdos del pasado. Pero ella ya ha aprendido a invocar a Dios. Mantiene su pensamiento en la Palabra, dependiendo cada día del Señor. Y a través de su propio dolor ha aprendido a simpatizar con el dolor de otras personas, y puede ofrecer consuelo.

Es ayudando a otros como olvida su propio dolor.

Y ha aprendido de nuevo a confiar en El. Tiene varios amigos hombres. Pero es muy indecisa en cuanto a pensar en un nuevo matrimonio. Algunas cosas vienen sólo con el tiempo.

Pero seguían los tiempos difíciles.

A pesar de las buenas influencias cristianas que la rodeaban, Celeste crecía frágil, asustadiza, nerviosa. Cuando llegó a la adolescencia se enfermó de bulimia.

La bulimia, igual que la anorexia, engaña a la paciente haciéndola creer que está gorda y que debe perder peso para ser bonita. La bulimia produce un gran apetito, y después de comer, produce un irresistible impulso de vomitar. Y si no vomita, lo lleva a tomar laxantes y purgantes, para evitar ganar peso.

Esta enfermedad psicológica sume a las adolescentes sobre todo, en un ciclo de comer desaforadamente y eliminar con purgantes todo lo que más pueda. Esto estropea su sistema digestivo y daña sus jóvenes cuerpos.

Astrid trataba de conjurar este mal, vigilando a su hija, buscando respuestas. *¿Por qué yo? ¿Por qué nosotras? ¿Por qué ahora?*

Aunque Celeste era una preciosa chiquilla, digna hija de su madre, ella se veía a sí misma gorda y fea. Su madre se quedaba mirándola, sollozando, frustrada, deseando ser Dios, para quitar de un golpe las angustias de su hija y con un beso sanar todas sus heridas.

Astrid hizo la única cosa que podía hacer.

Contraatacó.

¡Sobre sus rodillas, por medio de la oración!

Hoy en día Celeste es una modelo, y ha heredado de su madre el talento para los negocios. A los veinticuatro años de edad se ha graduado con una maestría en administración de negocios. Ha obtenido un trabajo bien lucrativo y está empezando a subir por la escalera del progreso.

A pesar de todo este éxito todavía la asaltan pesadillas, pero su madre está allí para consolarla y orar con ella.

Y yo sé que ellas emergerán siempre victoriosas, porque ambas se regocijan en las misericordias del Padre celestial.

¿Tienes tú el valor para ser una Edna para las Astrids que andan por ahí? ¿Para las Melissas? ¿Para los Marcs?

¿Le has hecho a Dios esa oferta?

Astrid tiene todavía una áspera batalla y un largo camino que recorrer. Las cicatrices del pasado aun la persiguen.

Pero hoy en día Astrid y Celeste conocen al Señor Jesús en una manera muy especial. Han conocido el amor de Dios a través de la bondad de una creyente muy sencilla, una sierva obediente del Señor, que simplemente quiso ayudar.

¿Serás tú una Edna?

¿Qué se puede esperar de ti?

- Debes estar dispuesto a dar, sin esperar nunca recompensa. Recuerda que cuando Jesús sanó a los diez leprosos, sólo uno volvió para darle las gracias.
- Tú debes amar, sin esperar que te devuelvan el amor. Amor verdadero, el amor de Jesús no tenía cuerdas adheridas.
- Debes amar y respetar y cuidar a gente despreciadas y despreciables, que han sido rechazados por la sociedad y por ellas mismas.
- Sin ningún egoísmo, debes velar porque ellos mantengan bien su mente, y velar más por el éxito de ellos que por el tuyo propio.
- Debes ser fiel, con un amor incondicional. Esto significa que debes amar a las personas no amables, enojadas y desafiantes, al igual que cuando son agradecidas y devuelven amor con amor.
- Debes ser una persona digna de confianza, de toda confianza, y guardar celosamente el secreto de terribles pecados que la gente te confiesa. Su pasado debe quedar completamente archivado en ti. Tú no puedes ser chismoso. Ni aun con tu más íntimo amigo.

¿Puedes tú ser una Edna?

¿Puedes convertir tu casa en un hospital del Espíritu Santo? Tú puedes resultar herido. Las personas que traes a tu Sala de Emergencia hasta pueden robarte. Pueden ponerse a vender marihuana en tu patio. Pueden rehusarse a salir cuando tú les digas que es tiempo de que se vayan. Sus hijos o sus perros o gatos pueden dañar tus preciosos muebles. Pueden dejarte con una cuenta enorme de teléfono, y hasta chocar tu auto.

Debes aprender a amar con amor fuerte, demandando responsabilidad de parte de ellos.

Ellos pueden denunciarte en público, y decir que eres un vicioso, o decir que eres un santurrón con ínfulas de mesías que te crees que vas a salvar al mundo.

Quizás tengas que ir a Alcohólicos Anónimos con ellos, o a alguna otra institución de ayuda, porque ellos son tímidos o no quieren ir.

Y tú nunca vas a tener ninguna gratitud o reconocimiento. Tu recompensa será en los cielos.

Tú ves, hay muy pocas Astrids por ahí. Hay personas fracasadas que siempre serán fracasadas.

Astrid es un caso raro de victoria.

Y puede que Dios te dé a ti un éxito grandioso con alguna pobre alma. O puede ser que el Señor te ponga a servir a personas que volverán a las calles, incapaces de aceptar tu amor, incapaces de creer que Jesús quiere recibirlos en sus brazos, incapaces de creer que la vida puede ser buena, alegre y abundante.

Tú se lo mostrarás a ellos.

Y cuando lo hagas, podrás rescatar más de un precioso hijo de Dios de las fauces del infierno y de los terrenales tormentos de Satanás.

Más que eso, estarás librando una tremenda batalla que no puedes ver con tus ojos humanos. ¿Supones tú que la maestra de escuela dominical que condujo a Cristo a Billy Graham, sabía que éste llegaría a ser uno de los más grandes evangelistas?

¿Crees que el pastor que se tomó tiempo con el pequeño Johann Sebastian Bach, sospechó que ese niño llenaría las iglesias de los próximos tres siglos con la más grandiosa música religiosa?

Cuando cambias una sola vida, puedes estar cambiando el mundo.

No puedes oír los aullidos de la furia del infierno.

Pero estarás contraatacando más efectivamente que cualquiera que le da las espaldas a los despreciados, los sucios, los no deseados.

Tú contraatacarás.

En poder.

Y obediencia.

Capítulo 10

Obteniendo gran poder

Ho Chi Minh, lo mismo que Mao Tse-Tsung, fue un ávido lector de un viejo libro llamado *El arte de la guerra*, escrito por un general chino llamado Sun Tzu, quien obtuvo brillantes victorias militares por toda la China en el año 500 de nuestra era.

Entre las ideas básicas de Tzu estaba la de que una guerra limitada es absurda. La guerra es "un acto de violencia que hay que llevar hasta sus más extremos límites". Y que el guerrero efectivo debe conocer todo lo que más pueda acerca de su enemigo.

Al estudiar la cultura de tu oponente, su religión, su folclor, tradiciones e historia, necesitas saber también cómo reacciona ante lo imprevisto:

- ¿Saldrá corriendo para volver al otro día y seguir peleando?

- ¿Se rendirá él? Si lo hace, ¿no tratará de subvertir los esfuerzos que sus captores demandan sobre él? Si es así, ¿hay que matarlo una vez que se le haya vencido?
- Cuando se vea sobrepasado en número, ¿tratará de salir "con una aureola de gloria" a buscar tantos aliados como le sea posible?
- ¿O tendrá el coraje de una rata acorralada, y buscará escapar solo para escamotear la victoria de un asombrado y sobreconfiado enemigo?

El apóstol Pablo nos advierte que no debemos darle ventaja alguna a Satanás, *"pues no ignoramos sus maquinaciones"* (2 Corintios 2:11).

Por lo mismo, ¿cuánto entendemos de las tácticas de Satanás?

No desperdicies tu tiempo con las exageraciones contradictorias y las vacías afirmaciones escritas por varios satanistas. No es así como vas a aprender las tácticas de guerra de Satanás.

Es mejor ver lo que Dios dice acerca de las tácticas de guerra de este enemigo acérrimo de los cristianos.

- Efesios 6:12 nos advierte que no estamos luchando contra carne y sangre, sino contra poderes sobrenaturales, regidores de este mundo de tinieblas, malicias espirituales en los aires. De modo que al batallar contra Satanás vale mucho más interceder sobre las rodillas que armarse con un rifle M-1.
- Mateo capítulo 4 muestra cómo Satanás intentó engañar a Jesús con artimañas, sugerencias para que Jesús cometiera "pecadillos sin culpa". ¡Satanás no ha cambiado, mis amigos! ¡Con esta misma basura quiere atacarnos hoy en día!
- Mira en Juan 8:44 donde Jesús advierte a sus discípulos que Satanás "es un mentiroso, y que no hay verdad en él". ¡Absolutamente! Y una de sus tácticas favoritas es envolver un montón de mentiras en un poquito de verdad, así tú y

yo resultamos engañados por un gramo de verdad dentro de un kilo de falsedades.

- El es sutil y está lleno de engaños. Es el enemigo de cualquier cosa buena. Le gusta pervertir y trastornar los buenos caminos de Dios (Hechos 13:10).
- El perderá su última batalla contra Dios y será castigado, atormentado por toda la eternidad. Y ya nunca más nos molestará para nada (Apocalipsis 20:10).

Y es un buen peleador.

Examinemos ahora algunas tácticas del general Tzu, y cómo las usaron los vietnamitas para frustrar al ejército de los Estados Unidos.

Estas no pueden ser nuestras tácticas. Pero es sabio para nosotros saber cómo ataca el mundo. Toda guerra exitosa está basada en el engaño dice Tzu. Y así exactamente es como trabaja el Príncipe de las mentiras, amigo mío.

Satanás y sus fuerzas:

- evitan enfrentarte cuando estás fuerte.
- tratan de confundir y enojar a tus líderes, y turbar tus alianzas, y si ustedes están unidos, trabajan para poner tus fuerzas unos contra otros. Porque su mayor logro es cuando los cristianos pelean entre ellos y se eliminan ellos mismos.
- te anima a estar falsamente confiado, autosuficiente y arrogante.
- cuando estás bajo alguna presión, te lleva a un completo estado exhaustivo, confusión y derrota.
- y te cierra los ojos para que no puedas ver ninguna victoria, cosa que podría levantarte el ánimo.

¡Ese es su engaño! ¡Su vil intriga!

Mucha gente se ve reducida a servidumbre por temor. Tú vas a ser despedido de tu empleo si insistes en testificar de Cristo, te dice. Tú te vas a enfermar, porque el diablo ataca a los cristianos. No vas a poder pagar todas tus cuentas. Vas a fallar delante de la gente, y te vas a poner en ridículo.

Miedo.

Miedo paralizante. Pero en realidad, el cristiano debiera vivir sin temor de nada, como puedes ver en los cristianos de Island Pond y Mannatu Crossing.

Mira, quita de una vez el miedo y reemplázalo con una sólida confianza en la bondad del Señor, en Su misericordia, Su protección, y la gloria de Su plan para ti no será algo volátil y escurridizo.

Esto no es el famoso "pensamiento positivo" que enseñan algunos, un rosado pensamiento inspiracional.

Es algo recto, extraído de la Palabra de Dios.

> *"Dios es fiel, y te fortalecerá y te protegerá contra Satanás".*
>
> 2 Tesalonicenses 3:3

> *"Todo lo puedo en Cristo que me fortalece"*
>
> Filipenses 4:13

Así que, ¿podemos pagarle a Dios para que nos proteja, y pelee nuestras batallas por nosotros?

Qué pregunta más tonta es la que hemos hecho. Pero así es como piensan los adoradores de Satanás. Si ellos hacen suficiente mal, podrán reinar en el infierno junto con su amo y los demonios.

Desafortunadamente para ellos, por supuesto, irán a quemarse por toda la eternidad, lo mismo que cualquiera que rechaza a Jesús.

Pero ellos piensan que al llegar al infierno van a recibir algún trato especial. Así pensaba mi papá.

Si tú lees mi libro *Rompiendo la maldición*, te enterarás de que mi padre era un notorio espiritista y sanador en el bosque tropical de nuestra isla caribeña. Durante siete décadas pagó tributo a las fuerzas de las tinieblas que lo rodeaban, y ellas lo recompensaban aceptando místicamente sus ofrendas.

El podía convocar horribles fuerzas demoníacas.

Pero no era el amo de lo sobrenatural.

Las fuerzas del mal eran sus maestros y amos.

Ellas lo atormentaron, chasquearon y se mofaron de él a lo largo de toda su vida —amenazándolo con matarlo si aceptaba a Jesús.

El tuvo que hacerlo a escondidas.

Y así es como algunas gentes miran el cristianismo. Ellos piensan que si viven pobremente, hacen penitencia todos los días, nunca quiebran ninguno de los Diez Mandamientos, cargan con una Biblia Reina-Valera de kilo y medio de peso, y lucen una cara de santimonia, o a cada rato dicen, "¡Aleluya, Gloria a Dios!" cada dos respiros, el Señor contestará sus oraciones más prontamente.

Piensa en gente que tú conoces que ha querido negociar con el Señor. Conversiones "cuevas de zorra". Gente que viene al Señor cuando están cayendo en picada como un avión. Si El les hace esto o aquello entonces ellos darán la mitad de sus ahorros, o el resto de sus vidas para la obra de la iglesia, o cosa así.

Otra de las muchas mentiras que se predican en estos tiempos es que si tú le das a Dios cierta cantidad de dinero, El te bendecirá a ti mucho más que antes. ¡Qué perversión de las promesas dadas sobre los diezmos y ofrendas! Lo que más me molesta de esta doctrina inventada por varios televangelistas es que ellos esperan que tú y yo les enviemos nuestra "semilla de fe" a quienes predican esta pervertida doctrina cada vez que su cara aparece en televisión.

¿Por qué estos individuos nunca dicen que envíes tu diezmo al pobre pastor local, o a la iglesia donde eres miembro, o a un orfanato en la India? ¡Porque *ellos* desean tu dinero!

¿Qué es lo que dice Dios acerca de esto?

Había una vez un hombre, que de acuerdo a Hechos 8, "había practicado la magia en Samaria".

La gente lo consideraba un gran hombre, desde el más humilde campesino hasta el oficial mayor de la ciudad. Todos creían que era un hombre de gran poder.

Cuando Felipe predicó en Samaria se convirtió mucha gente, entre ellos Simón. Y después que fue bautizado estaba siempre junto a Felipe, el diácono y evangelista.

"Y viendo las señales y grandes milagros que se hacían, estaba atónito" —dice el relato—. "Cuando los apóstoles que estaban en Jerusalén oyeron que Samaria había recibido la palabra de Dios, enviaron allá a Pedro y a Juan, los cuales habiendo venido, oraron por ellos para que recibieran el Espíritu Santo".

Cuando Simón vio que el Espíritu Santo se daba por la imposición de las manos de los apóstoles, les ofreció dinero, diciéndoles:

"Dadme a mí también de este don, que a cualquiera que imponga las manos, reciba el Espíritu Santo".

¿Era esta propuesta del agrado del Señor?

¡De ninguna manera!

Pedro dijo a Simón: "Tu dinero perezca contigo, que has pensado que el don de Dios se obtiene con dinero.... Arrepiéntete de esta tu maldad, y ruega a Dios, si quizás te sea perdonado el pensamiento de tu corazón".

Para ser un soldado efectivo, no te enredes en el afán de dinero o posesiones, advierte también la Biblia. "No os hagáis tesoros aquí en la tierra, donde polilla y orín corrompen, y ladrones minan y hurtan", leemos en el evangelio de Mateo.

Recuerden: nadie puede servir a dos señores, porque amará a uno y aborrecerá al otro, o servirá a uno y desobedecerá al otro.

No se puede servir a Dios y las riquezas.

¿Qué es lo que realmente desea el Señor de ti?

Te desea a ti. Viviendo en tu sencilla manera de vida. Generoso para con aquellos en necesidad. Amable. Paciente. Lento para la ira.

¿Qué es eso?

¿Se supone realmente que debemos poner la otra mejilla cuando nos golpean en una?

Estoy seguro de que ya has oído el chiste cristiano: "Seguro que le voy a dar la otra mejilla. ¡Pero si este tipo me pega de nuevo lo tumbo patas arriba!"

Cuando era un joven recién convertido aprendí en una dura experiencia de la vida, que no debía llevar conmigo un cuchillo o un revólver para defenderme, aunque estuviera en peligro mortal.

Vez tras vez comprobé cómo el Señor me protegía cuando mortales enemigos me atacaban con ánimo de matarme, y quedaban de pronto neutralizados por el poder del Señor.

Cierta vez me atacó un muchacho al cual yo le había desfigurado la cara en una pelea. Me atacó con un cuchillo. Yo, como en antiguos tiempos, arranqué la antena de un auto, que constituye un arma tremenda cuando se la sabe usar. Una chica amiga mía me gritó que yo no debía defenderme solo, sino clamar al Señor.

Y el Señor me defendió en ese instante.

Pero, ¿qué dice la Biblia en cuanto a ti y a mí en esto de contraatacar?

"He aquí os doy potestad de hollar serpientes y escorpiones, y sobre toda fuerza del enemigo, y nada os dañará" (Lucas 10:19).

El Señor nos ha dado inmenso poder.

Dios puede mover montañas.

Pero tú debes recordar que El es el único que puede hacer eso.

Seguro, dirás tú, la Biblia dice así, pero...

¿Pero qué?

¿*Enfermedad?*

¿O *pobreza?*

¿O *desgracia?*

Si sigues tratando, encontrarás algo que verdaderamente asusta.

Puede ser cáncer.

O bancarrota.

O puede ser que después de leer esto tengas miedo de Satanás, ese poderoso ángel caído, príncipe de este mundo.

Puedes pasarte toda la vida temiendo a Satanás, temblando ante el terrible, humanístico, demoníaco mundo exterior.

Algunos cristianos creen que si lo dejamos solo, él nos dejará solos a nosotros. Persisten en este error. Y tú puedes oír la risa hilarante que viene de las puertas del infierno.

No confíes, susurran las voces infernales: témenos.

¡Alabado sea el Señor! Porque nos ha sido dada la misma potencia que tenía el Señor para combatir a Satanás y los demonios. Cuando aceptamos a Jesucristo como Señor y Salvador y somos llenos del Espíritu Santo, nuestro poder interior queda completo.

El nos dice que podemos controlar las fuerzas del infierno y sanar enfermos con nuestras manos.

Podemos leer en Mateo 16:18, que cualquier cosa que atemos en la tierra será atada en los cielos, y cualquier cosa que desatemos en la tierra, también será desatada en los cielos.

Nosotros, los creyentes de hoy, tenemos esta autoridad. Por lo tanto, declaremos la guerra a Satanás. Pongámonos a la ofensiva, llevando liberación, y el poder del Cristo viviente a todos los que estén en necesidad.

No debemos temer, sino buscar un campo de batalla, y armados con el Espíritu y la Palabra, perseguir a Satanás y los demonios, echándolos hasta las puertas del infierno.

Creamos que nuestro Señor —que pronto viene, pondrá terror, por medio de nosotros, en los ánimos de Sus enemigos.

No esperes a que el diablo te pegue. ¡Pégale a él primero!

Capítulo 11

El movimiento Nueva Era

El temor es excitante para algunos cristianos. ¿Por qué tanta gente ve películas de horror? Porque el temor es divertido. Es seductor.

Pocos cristianos comprenden que revolverse en temor real hace que quitemos nuestros ojos del Señor.

Por ejemplo:

¿Es una terrible conspiración, pavimentando el camino para el anticristo? ¿Se están viendo los símbolos secretos de los aborrecedores de Dios cuyas enseñanzas han atrapado a muchos grandes líderes evangélicos? Quizás tú ya has oído hablar de esto. El movimiento de la Nueva Era, o Nueva Era, como también se le llama.

Un número creciente de cristianos están sintiendo gran temor de él. ¿A qué se debe que esos que se reúnen en seminarios sufran un terror mortal del poder del anticristo, cuando hacen listas de todos los supuestos participantes en el complot de la Nueva Era, que va desde tiras cómicas a productores de televisión, y de autores motivacionales a organizaciones cristianas de ayuda social?

¿Por qué todo este temor?

La mayoría de los cristianos que se han visto envueltos en el movimiento no dicen que es bueno o atractivo.

Están aterrorizados.

Están convencidos del poder del diablo y enceguecidos en cuanto a la majestad y dominio absoluto de nuestro gran Creador.

¿Qué es, exactamente, el movimiento Nueva Era?

"Cada pocas décadas, emerge una nueva religión americana para satisfacer las necesidades espirituales de gente inquieta —escribe la periodista Marilyn Geewax en una reciente edición del periódico *Atlanta Constitution*—. Desde los inicios de la década de los setenta, otra nueva fe ha brotado y levantado cabeza: el movimiento Nueva Era. Una nueva era para la humanidad comenzó a mostrarse en 1971, con la publicación del libro *Be Here Now* (Sé aquí ahora), por Baba Ram Dass.

"Dos décadas más tarde el movimiento ha cobrado gran fuerza, con millones de fieles. Pero mucha gente tiene dificultad en entender la Nueva Era. Y esto es así porque no se trata de una religión, sino de una amalgama de teorías y terapias.

"Generalmente el blanco del movimiento es la amplia difusión de una conciencia mística que conecta la naturaleza con la humanidad —escribe la periodista—. Los individuos se transforman a sí mismos a través de varias técnicas espirituales, a menudo envolviendo meditación, yoga, vegetarianismo y rituales.

"Se supone que los individuos procuran bienestar, por sanarse a sí mismos, lo cual a su vez ayuda a sanar el planeta. Convergencias armónicas pasan bienestar entre la tierra y sus adherentes.

"Si usted está pensando: ¿Ah?, eso es comprensible.

"Pero Nueva Era puede convertirse en una idea peligrosa —continúa Geewax—. Alentando un interés obsesivo en uno mismo, el movimiento muestra escaso interés en hacer algo por otros.

"Los 'nueva era' pueden poner muchos rótulos en sus autos con frases como 'Visualiza la paz' pero, ¿se han preguntado a sí mismos cómo hacer la obra de paz? Mientras monjas católicas operan orfanatos en El Salvador, los nueva era asisten a seminarios sobre 'cristales, magnetos y sanidad vibracional'.

"...El movimiento, en sí mismo, no pone ningún énfasis en el sacrificio personal" —escribe la periodista del *Atlanta Constitution*—. Se anima a la gente a creer que están haciendo algo por el ambiente y la paz del mundo, cuando en verdad lo único que están haciendo es ponderando sin actuar. Denme mejor a los *shakers*, por lo menos ellos construyeron grandes sillas".

¿Es el movimiento Nueva Era algo que merece consideración de parte de cristianos pensantes? ¿Merece que se le examine?

La mayoría de los creyentes nunca se preocuparon por él hasta que allá por 1983 apareció una serie de libros alertando acerca de sus inherentes peligros. Después una cantidad de conferencistas comenzaron a exponer la naturaleza del movimiento, y los miembros de las iglesias, espantados, prometieron no dar más dinero a ciertas instituciones de caridad, no comprar ciertos libros, no adquirir ciertos juguetes de niños, o ciertos productos de ciertas organizaciones, y demás.

Los conferencistas decían que el pensamiento de la Nueva Era había permeado la mente de muchos líderes cristianos, que sin darse cuenta habían empezado a promover la filosofía satánica de la Nueva Era.

Algunos dieron nombres específicos, acusando a algunas grandes personalidades y organizaciones de haber caído bajo influencias subversivas de lo que ellos llamaban terrible conspiración para traer el anticristo.

Uno de los grupos mencionados de tiempo en tiempo, es una notable organización que trabaja con los universitarios y posee una casa de publicaciones. Admitiendo que este grupo ha gozado de gran reputación en el pasado, un autor dice públicamente, "mucho de lo que parece orientado hacia la Nueva Era ha salido de esta organización en años recientes".

Muchos autores atacan conceptos tales como "sanidad interior", y objetan el uso del término "holístico", el cual se refiere a la persona completa —espíritu, alma y cuerpo—. Estos conceptos no son necesariamente novedosos. Una gran universidad cristiana tiene el lema "Enseñar al hombre total", por ejemplo.

No obstante, algunos cristianos sorprendidos por los anuncios iniciales, denuncias, acusaciones y señalamientos con el dedo, parecen volver atrás.

Una popular conferencista, dice que ella no hablará más acerca de la Nueva Era. Cree que hay una conspiración oculta tras el movimiento. Posee una extensa colección de libros ocultos, tales como *The Aquarian Conspiracy* (La conspiración de Acuario) de Marilyn Ferguson. En ese libro la autora propone amplios planes para rehacer la sociedad —un mundo de unidad, en el cual todas las religiones y filosofías serían examinadas para sacar de ellas sus puntos más dignos de mérito—. Entonces surgiría una nueva sociedad humanística, poniendo a trabajar lo mejor del hinduismo, budismo, taoísmo, espiritismo, y animismo, pero no necesariamente las "no coexistentes" religiones monoteísticas, tales como el islam, el judaísmo y el cristianismo.

Tiene también copias de los libros de Helena Petrovna Blavatsky, que comenzó la Sociedad Teosófica en 1875, y habló de una "nueva era", cuando los humanos buscarían y serían guiados por espíritus que se manifestarían a sí mismos como 'maestros', los cuales serían, o bien seres espirituales o bien hombres afortunados, más altamente evolucionados.

Pero esta notable conferencista cristiana dice que los cristianos ya han sido advertidos de esta suerte de cosas desde 2.000 años atrás.

La cosa no es nueva.

El apóstol Pablo advirtió a la iglesia de Colosas: "Tengan cuidado: no se dejen llevar por quienes los quieren engañar con teorías y argumentos falsos, pues ellos no se apoyan en Cristo, sino en las tradiciones de los hombres y en los poderes que dominan este mundo" (Colosenses 2:8, versión "Dios Habla Hoy").

Otros cristianos se burlan de la sola idea de tal conspiración mundial.

"Si vamos a ser alertados, seamos alertados de cosas reales, más que en contra de una gigantesca teoría", dice Jim McKeever, de los *Omega Ministries* en Medford, Oregón, y publicador de *End-Times News Digest.* El también dice que tales cuentos excitantes de conspiraciones y complots del anticristo vienen y van con cierta regularidad.

Pero tales cuentos hacen buen motivo para leer.

Venden muchos libros.

"A la gente le gusta que la asusten mortalmente —dice—. Por eso es que la gente mira películas de horror y va a los autódromos donde autos se chocan y despedazan. Andan muchos predicadores y conferencistas por ahí asustando a los cristianos, creando temor dentro del cuerpo de Cristo, y el cuerpo parece gustar de ello.

"Sin embargo —anota—, el temor no es de Dios, porque el perfecto amor echa fuera el temor" (1 Juan 4:18).

McKeever ve mayor peligro en la división entre cristianos que produce la Nueva Era, que el deseo de denuncias que ha creado. "Creo que el Señor está tratando de unir a los verdaderos soldados de Jesucristo. Hoy en día hay muchas cosas que tienden a dividirlos, y ésta es una de ellas. La razón es que cuando uno cree que hay una conspiración, entonces ve conspiraciones por todas partes. En este caso parecería que hay un 'nueva era' debajo de cada árbol, lo mismo que la gente veía comunistas hasta debajo de la cama en los tiempos del senador McCarthy".

Otra notable conferencista cristiana dice que ella se asombra de la manera en que se asustan los cristianos cuando habla de la Nueva Era y expone lo que es el movimiento.

Es como si nunca hubieran oído de las mentiras y engaños de Satanás. Pablo dijo a la iglesia de Corinto: "Y no es de extrañar, pues aun Satanás se disfraza como ángel de luz. Por tanto no es de sorprender que sus servidores también se disfracen como servidores de justicia" (2 Corintios 11:14-15).

¿Cómo podemos contraatacar?

Con oración, ayuno... y discernimiento.

Un predicador asegura que las populares velas arco iris, los trípodes, los vehículos de nieve u otros pequeños, los sonajeros de colgar, son todos signos por los cuales los secretos *nueva eras* se conocen unos a otros, así como el signo del pez identificaba a los cristianos del primer siglo.

"Se están señalando unos a otros —dice ella—. Tenga cuidado y mejor no muestre un arco iris en su ventana. Alguien vendrá a usted y pensará que usted es un creyente de la Nueva Era.

"Los *nueva era* de Norteamérica están haciendo fuerza para instilar sus creencias en el gran público, especialmente niños —dice ella. Tienen colocada gente en altos lugares, especialmente en el mundo del espectáculo. ¿Cuándo ha visto usted un espectáculo cualquiera que trate a los cristianos como seres humanos? ¿Mira usted la televisión los sábados por la mañana? Hay muy pocos programas de dibujos animados que no estén llenos con cosas del ocultismo, brujas, duendes, magia, pociones, bolas de cristal, poderes especiales y cosas por el estilo".

Ella va hasta decir que la filosofía de la Nueva Era se manifiesta en cosas de todos los días, como juguetes infantiles al parecer inocentes, y personajes de la televisión infantil, cuyas imágenes se repiten en las ropas de vestir.

Pero convencida como está que el movimiento Nueva Era se halla en todas partes, desde productos dietéticos a los grupos que promueven la alimentación de pecho de los niños, de las iglesias que promueven la prosperidad, hasta los personajes de

Smurfs,[1] sigue repitiendo que no hay razón para asustarse, y que es un peligro temerle al movimiento.

"No me gusta hablar del movimiento Nueva Era —dice ella—. Se supone que no debemos vivir con temor de Satanás, y a esto conduce mencionarlo a menudo".

Pero sin duda, si hay un complot mundial para traer al anticristo, ¿cómo deben reaccionar los cristianos?

¿Rehusando usar el arco iris, el símbolo del pacto que Dios hizo con Noé? ¿Volviéndonos hostiles, acusando a cualquiera cuya teología no coincide perfectamente con la nuestra? ¿Haciendo listas de cristianos que creemos se han dejado envolver por filosofías sospechosas?

El apóstol Pablo alerta a su joven discípulo Timoteo, diciendo: "Porque no nos ha dado Dios espíritu de cobardía, sino de poder, de amor y de dominio propio" (2 Timoteo 1:7).

Y el apóstol Juan escribe en su primera epístola que debemos tener victoria sobre tales cosas:

> *"Y todo espíritu que no confiesa que Jesucristo ha venido en carne, no es de Dios; y este es el espíritu del anticristo, el cual vosotros habéis oído que viene, y que ahora ya está en el mundo... Y nosotros hemos conocido y creído el amor que Dios tiene para con nosotros. Dios es amor.... En el amor no hay temor".*
>
> 1 Juan 4:3, 16, 18

En la mayoría de las ciudades donde hay un centro de Nueva Era, su número telefónico figura entre los de las iglesias. Afirmándose en el ocultismo y en la desvergonzada adoración de Satanás, el movimiento Nueva Era tiene sus

1 Una serie de historietas de televisión infantil, cuyos personajes son muñequitos azules.

raíces en la Sociedad Teosófica fundada por la señora Blavatsky. Una enseñanza básica es que todas las religiones tienen verdades comunes las cuales superan las diferencias. Los Unitarios y los Universalistas creen la misma cosa.

Pero donde los Unitarios tienden a descargar muchas creencias en una viviente y amorosa deidad o fenómeno espiritual, los de la Nueva Era creen en espíritus guiadores.

¿Podría alguien desear unirse a tal culto?

El autor cristiano Dennis Bennett dice que tales grupos "juntan a muchos que buscan poder espiritual sin Dios, o a través de dioses menores, esto, espíritus. Esos que se vuelven atrás del verdadero Dios, siempre buscan otros dioses".

Robert Stevens, un psíquico de la Nueva Era admite: "Nuestras reuniones de meditación son un lugar donde la gente viene para tener todas sus preguntas contestadas —no importa cuáles ellas sean..."

Explica que el movimiento cree que la Nueva Era será un tiempo en el futuro cuando el hombre evolucionará al más alto nivel jamás obtenido.

En un concepto muy similar al de los mormones, los de la Nueva Era creen que los hombres, con el tiempo, llegarán a ser dioses.

¿No es ésta exactamente la mentira con que Satanás tentó a Eva para provocar la caída del hombre? La Biblia dice: "Y la serpiente dijo a la mujer: No moriréis; porque Dios sabe que el día que comiéreis del fruto, serán abiertos vuestros ojos, y seréis como dioses..." (Génesis 3:1-5).

Por lo tanto, todo esto ¿es algo nuevo acaso?

Personas muy experimentadas en el estudio de cultos y sectas, tales como las del *Christian Research Institute* (Instituto de Investigaciones Cristianas) reconocen que hay un movimiento de la Nueva Era, y que está ampliamente extendido.

"Pero lejos de ser una estrecha conspiración organizada —dice Randy Frame en *Christianity Today*—, el movimiento es mejor comprendido como una filosofía, un tipo de 'misticismo oriental occidentalizado' con elementos de humanismo y ocultismo". El movimiento es inmenso —dice el editor de una carta noticiosa mimeografiada que llegó a mi oficina.

"El movimiento de la Nueva Era es una coalición mundial de cerca 10.000 organizaciones dedicadas a traer un nuevo mundo de orden y armonía para nuestra atribulada sociedad. El lazo que une a todos es el deseo de promover la 'visión de un nuevo mundo basada en humanismo, ideales de salud holística, el movimiento de potencial humano y las religiones orientales tradicionales para revitalizar la humanidad'" —según dice ella en una reciente publicación.

"Un nuevo directorio de las organizaciones de Nueva Era, agrupa unas 10.000 organizaciones, además de las ramas que hay en Estados Unidos y Canadá" —de acuerdo a esa carta recibida—, "los directorios han sido ampliamente difundidos y pueden comprarse en cualquier librería".

Yo llamé a la editora de la carta noticiosa y ella admite que no tiene uno de esos directorios, pero que vio uno en una conferencia por William M. Bowen Jr., autor de *Globalism: America's Demise*.

Bowen también considera a Nueva Era una amenaza. Su libro se enfoca en la amenaza de un gobierno mundial, la misma suerte de advertencias que la Sociedad John Birch está levantando contra las Naciones Unidas y el comunismo desde hace años.

"He recorrido con el dedo todo el directorio" —dice el editor—. "Usted se sorprenderá de lo que he hallado".

Bien, yo busqué uno en una librería local.

El directorio se parece al *Whole Earth Catalogue* popular en los setenta. ¿Qué se halla en lista? Librerías, negocios de alimentos naturalistas, masajistas holísticos y comunidades de ciencia metafísica.

"Yo no sé por qué la gente se preocupa por esto. Son unos de los lugares más lindos para visitar" —dice un vocero de los editores—. Por cierto que es difícil ver como este detestable directorio de campamentos de yoga de verano, y quirománticos pueda representar una amenaza mundial, "10,000 organizaciones dedicadas a traer un nuevo orden mundial".

Por lo tanto, ¿por qué se asustan tanto los cristianos con esta cosa?

Ellos han sido enseñados a condenar toda causa que no sea la de ganar almas para Cristo.

Han sido engañados y han quitado sus ojos de su esperanza y han mirado al temor y desesperación que el enemigo ha agitado delante de sus ojos.

Igual que el apóstol Pedro, en vez de mirar la serena faz del Señor han mirado las olas del mar embravecido. E igual que él, si no son cuidadosos, se hundirán en medio del tumulto.

El Señor agarró a Pedro antes que se hundiera.

Pero a causa de su falta de fe, Pedro no fue capaz de dar más que un par de pasos en el agua.

Estaba más acostumbrado a temer que a confiar.

Miedo. De acuerdo, tú dices, ¿cómo puedo yo vencer el miedo? La solución es simple, pero no fácil. Puedes hacerlo la primera vez que pruebes. Pero no se cura de una sola vez. Tienes que hacer de ello un estilo de vida.

Primero: Debes admitir una cosa muy simple que ya sabes que es cierta: Jesús es Señor.

Segundo: Debes dar toda tu vida a El. Todo, incluso tus miedos. Debes decir todo respecto a ellos. Detallarlos todos y dárselos a El. Tú admites que sin El, tú no tienes ningún poder sobre las cosas que te aterran.

Tercero: Ya que el Señor dice que El responde a todas nuestras oraciones, le das gracias por protegerte y contestar a esta profunda necesidad que has puesto delante de El a sus pies.

Cuarto: Cuando el temor surja otra vez, tú alabas al Señor, agradeciéndole Su protección, deleitándote en Su amor por ti, alabando Su grandeza. Humildemente lo alabas a El por dejarte ser parte de Su gran plan.

Quinto: Empiezas a leer tu Biblia diariamente. Vas a hallar en ella más razones para no temer de las que puedo detallar aquí.

Vas a encontrar historias cuando el Señor liberó a Su pueblo.

Vas a hallar versículos que te gustará escribir de nuevo, o memorizar.

Vas a hallar promesas que vendrán a ti más tarde.

Y cuando te asalte un nuevo temor, vas a saber que puedes alabar al Señor por Su poderosa grandeza, porque justamente esta mañana has leído el Salmo 138:7, el cual escribió el no más temeroso David:

> *"Si anduviere yo en medio de la angustia, tú me vivificarás; contra la ira de mis enemigos extenderás tu mano, y me salvará tu diestra".*

Y ya no tendrás miedo.

Capítulo 12

Rendición

El pequeño DeWayne Jones, el menor de la famosa familia Jones, cantantes del evangelio, tenía un problema.

Era miserablemente infeliz.

Pero no podía hablar nada de ello.

Tenía que guardarlo para sí mismo... excepto con los miembros de la orquesta evangélica de su padre. Los miembros del grupo musical eran realmente sus únicos amigos. Y ellos lo habían iniciado en el uso de la marihuana desde que estaba en la escuela elemental.

Y ahora, ya bastante más crecido, creía que para poder tocar en el grupo tenía que estar bien drogado. Así soportaba las presentaciones en iglesias.

Era como un gran chiste. El pequeño DeWayne Jones se reía consigo mismo cuando, parado en la plataforma, contemplaba el auditorio lleno de cristianos sonrientes, ingenuos cristianos.

Tú puedes ver, la gente lo amaban.

Desde que era muy pequeño se había parado osadamente delante de los micrófonos y había cantado, "Sí, Cristo me ama" o "Maravillosa Gracia", con el tono agudo de un niño pequeño y acento de Nashville.

Manuella y Walter Jones no sabían qué hacer con su atormentado niño. Muy temprano en la vida se había escapado de su control.

A la edad de doce años grabó su primer disco. También en otros aspectos de su vida era un niño precoz.

—Conocí a mi esposa Gladys cuando tenía doce años y estaba cantando en el Gran Old Opry con mi familia —dice DeWayne—. La vi sentada en la audiencia y pensé que era la chica más linda que había visto.

Después del concierto le pidió que fueran a tomar un refresco de cereza. Igual que con todas las cosas en la vida de DeWayne, en esto también comenzaba temprano.

Y no importaba lo que hacía, nunca se sentía feliz.

El éxito no es igual a la felicidad.

El pequeño muchachito fue un éxito inmediato. Empezó su carrera a los cuatro años, cuando el papá y la mamá lo sentaban en el piano delante de un micrófono, y le permitían intervenir en el concierto de *The Gospel Singin' Jones Family*.

Fue un éxito desde el primer momento. Tocaba delante de la audiencia igual que un veterano. Pero ser un gran intérprete de música evangélica no lo hacía automáticamente un creyente. Carecía de toda relación espiritual con Jesucristo.

Todo lo que hacía era espectáculo.

Cuando fue creciendo se dio cuenta de que era vital mantener las apariencias, para que el grupo siguiera actuando, grabando discos, logrando clientela en las iglesias, ganando dinero y teniendo demanda de conciertos.

La imagen tenía que ser mantenida. La mentira.

Y en medio de tanta falsedad el pequeño DeWayne Jones buscaba desesperadamente la verdad. En lugar de la verdad, encontró el escape. Drogas. Podía sonreír y sonreír con facilidad, y la gente creía que era cosa del Señor. Pero él hubiera podido exponer sus sentimientos a la luz. Podía haberlos denunciado, o hacer alguna cosa obscena.

Rodeado por el brillo del cristianismo, no buscó al Señor por ayuda. "No podía ver a Jesús en medio de tanta religión" —eran sus palabras.

La fe pública de su familia no era más que fulgor y lentejuelas.

—Mi madre era una buena mujer, pero mi padre era hombre duro —recuerda. La música de la familia era primero negocio, después logros artísticos, y por último, incidentalmente, alcance evangelístico.

Walter Jones "nunca declaró ser un cristiano" —llegó a comprender DeWayne—. "Nunca lo vi leer la Biblia en casa y nunca oró conmigo".

Nunca vio a su padre dirigirse al Señor, excepto cuando actuaba en el escenario, cuando realizaba el espectáculo con gran despliegue artístico. Con su voz melodiosa y su imponente presencia en el escenario, Walter podía llevar a la gente a un frenesí religioso, con lágrimas corriendo por las mejillas, con sus corazones tocados por palabras que repetía de sermones de otros, con testimonios y llamados al altar.

Pero detrás del escenario era otro hombre de negocio más, contando las entradas de la noche, negociando el próximo contrato de grabación, trabajando, trabajando, trabajando afanosamente, determinado a conseguir para su familia las mejores comodidades.

Cuando estaba en la escuela secundaria empezó a usar drogas regularmente. Las necesitaba para poder subir al escenario con su familia. Siempre parecía un chico de mejillas sonrosadas, bonito y simpático, que tocaba el bajo con la banda y cantaba "Cristo me ama", "No hay Dios tan grande como Tú" y "La B-I-B-L-I-A".

Los fervientes adultos no se daban cuenta de que en esos momentos andaba volando como un barrilete, riéndose de todos ellos.

—Cuando chico siempre fui un cantante del evangelio que nunca llevó un alma al Señor —recuerda DeWayne. Recuerda que nunca hubiera sido capaz de ayudar a alguien a que viniera a él pidiendo consejo sobre cómo caminar más cerca del Señor.

Porque DeWayne no caminaba con el Señor.

—Le cantaba a Jesús, pero me hallaba drogado —recuerda—. Cantaba "Maravillosa Gracia" tomando ácido al mismo tiempo.

Frecuentemente, se hallaba tan drogado en los conciertos que podía arrastrarlo una sola nota de su guitarra. Caminando por el escenario podía tocar y tocar sin darse cuenta de nada, mientras el resto de la familia seguía cantando, simulando que nada pasaba.

DeWayne buscaba desesperadamente la felicidad.

¡Felicidad!

Recuerda que era forzado a asistir a la iglesia. "Iba, pero nunca escuchaba" —dice él. Viajando y actuando, el chico comenzó a escribir canciones evangélicas, pero se hallaba lleno de conflictos y contradicciones. No creía en lo que cantaba. Y cuando era rechazado por los otros muchachos se llenaba de ira.

Los muchachos de su edad asumían que "el chico predicador" no tenía que oír chistes sucios. Pero él lo hacía, si eso significaba ser incluido. A ellos les parecía que no tendría ganas de tomar parte en travesuras y fechorías. Pero él las hacía con desesperación.

Felicidad... *Felicidad*

El pequeño DeWayne buscaba frenéticamente la *felicidad.*

En lugar de ella halló la alienación y el rechazo que hallan todos los chicos cristianos. Pero no teniendo ninguna relación con el Señor, se hallaba sin refugio.

A diferencia de un muchacho cristiano que tiene relación con el Señor el joven DeWayne estaba exiliado espiritualmente, atrapado dentro de una "imagen religiosa" que se veía obligado a mantener. Pero no creía nada de ese cristianismo del cual la familia se esforzaba en mantener la imagen.

En su soledad e infelicidad se volcó en la composición de canciones. Y era bueno.

Cuando tenía diecisiete años una de las superestrellas de la música regional grabó una de sus composiciones. DeWayne se volvió rico de la noche a la mañana. En el primer año ganó 90.000 dólares en regalías.

—Después de ese primer álbum, que fue un éxito, la canción figuró en otros 126 álbumes —recuerda. Grandes grupos musicales y renombrados artistas empezaron a cantar sus canciones.

Ellos no tenían idea de que no había nada detrás de la fachada religiosa de la respetada *Gospel Singin' Jones Family*.

El joven Jones había aprendido a falsificar la fe evangélica tanto en sus canciones como en sus actuaciones en el escenario.

Y súbitamente rico, dejó el grupo familiar, y corrió frenéticamente detrás de la felicidad.

Era rico.

Era joven.

Era talentoso.

Y ahora tenía riquezas.

Podía tener de todo.

Aun felicidad.

Llegó a ser amigo íntimo del ex Beatle George Harrison, que por entonces era productor de cine y un discípulo de la secta hindú *Hare Khrisna*. Y se hizo amigo del infeliz y amargado Elvis Presley.

—Yo y Elvis nos drogábamos juntos —recuerda—, juntos vivíamos en castillos de ensueño.

Castillos.

—Cuando Elvis murió, se ahogó con su propio vómito —recuerda DeWayne—. No es algo lindo de decir, pero es cierto —se detiene un poco y luego agrega—. Déjame decirte, los castillos son solitarios.

Castillos infelices de fama, éxito y riquezas.

¿Dónde es posible hallar la felicidad?

¿Cómo podemos hacer para encontrarla?

¿Se la puede comprar en algún lado?

¿Se la puede obtener por determinación de la voluntad?

Esta es una pregunta que mucha gente se ha hecho más de una vez. DeWayne Jones, George Harrison, Elvis Presley, tú y yo. Casi siempre en privado, pero a veces al borde de la desesperación.

Señor, ¿por qué no puedo ser feliz?

Como lo descubrió DeWayne Jones, la felicidad no viene sin cierta clave, si un ingrediente perdido.

Rendición. Escribe esto en una tarjeta y ponla en el espejo de tu baño. Rendición. El secreto de la felicidad es *rendición.*

Esto va más allá de invitar una vez a Jesús que venga a llenar tu corazón o hacer pública tu confesión de fe cristiana. *Rendición.*

No es la parte segunda de la conversión. No es algo nuevo y controversial, una segunda experiencia, un paso que se agrega hacia la santificación o alguna obra de la cual tú puedes ser digno.

En teoría, la rendición debería producirse cuando nos convertimos a Cristo. Pero desafortunadamente, nos toma años descubrir nuestra necesidad de rendición.

Rendición.

Descansar en la paz de Jesús.

Aceptar la misericordia de nuestro Dios.

Descansar en Su plan.

Esperar en Dios.

Escuchar su quieta y suave voz en nuestro corazón.

Rendición.

Morir a nosotros mismos. Tomar el corazón del siervo.

A los veintidós años DeWayne corrió de nuevo a su futura esposa, Gladys.

—Al principio no la reconocí —recuerda—. Ella había crecido, era toda una mujer. Pero me enamoré otra vez de ella.

Se casaron.

Ella había pasado por un breve tiempo de rebelión, pero ahora era una devota cristiana. Rendida.

Pero DeWayne no tenía interés en rendir nada de su vida al Señor.

Empezaron para Gladys varios años difíciles de orar y rogar por su marido. El continuaba con el uso de drogas. Su foto salía en grandes revistas, con ojos extraviados y mirada de locura, al lado de los grandes artistas del "rock". Con esta gente tocaba guitarra, componía canciones, y hacía fiestas por días y días en Europa, en el Oriente, en Nueva York, en Los Angeles.

Podía ser visto en todas partes. Su nombre aparecía en etiquetas de discos, y en anuncios de conciertos con sus amigos: Little Richard, Billy Joel, Eric Clapton, Willie Nelson, The Who, The Rolling Stones, George Harrison, y multitud de otros.

Se hizo adicto a la heroína y experimentó con otra variedad de drogas. Cayó en espiral, como se ve tan frecuentemente en el mundo del espectáculo. Podía gastar hasta el último dólar que poseían él y su esposa, entonces grabar un nuevo disco, salir en una gira de conciertos, hacer miles de dólares, gastar cada centavo en drogas, fiestas, otras mujeres, excitación, y más drogas. Y cuando se hallaba sin un centavo, grabar un nuevo disco y salir en una nueva gira.

Hallándose en tal remolino, allá por 1974 se inyectó una sobredosis de heroína. Estando en una sala de emergencia se le paró el corazón. Pudieron rescatarlo. Pero él y Gladys sabían cuán cerca había estado. Comenzó a ir a la iglesia con ella, pero no estaba satisfecho.

—Hallé un estudio bíblico donde ellos me ignoraban. Podía asistir aun si estaba endurecido. Trataba de buscar al Señor, pero no estaba realmente entregado.

Después de asistir a estos grupos de compañerismo, DeWayne podía dejar a su esposa, reunirse con amigos a discutir la Biblia y aspirar cocaína. Así siguió esa doble vida por años, mientras por dentro continuaba la batalla por su alma.

Podía gritar que era cristiano, pero no estaba rendido.

No podía entregar todo todavía.

—Pasé al frente para entregarme a Cristo como cien veces esos años —dice.

Entonces, en 1979, su padre Walter Jones cayó enfermo en Nashville con un cáncer incurable.

—Un día fui al hospital a ver a mi padre y él comenzó a hablarme de Jesús —recuerda DeWayne—. Yo amo a mi padre, pero nunca me gustó. El y yo no congeniábamos. No nos habíamos hablado durante un largo tiempo. Fui al hospital porque él se estaba muriendo y yo me sentía culpable.

—Pero en ese último año antes de morir, papá comenzó a leer la Palabra de Dios, y Dios quebró realmente su corazón. El señorío de Jesucristo se hizo real en su vida. Cuando yo vi a este hombre frío y duro, con quien nunca había deseado estar, volverse un sincero, bondadoso, gentil individuo, empecé a visitarlo porque lo deseaba, no para quitarme la culpa.

—Le dije que lo amaba, y que si yo hubiera sabido que algún día nuestra relación sería tan buena como ahora, no habría pasado tantos años peleando con él.

DeWayne no estaba preparado para la reacción de su padre. Walter Jones era un hombre grande, de más de dos metros de altura y 135 kilos de peso. DeWayne nunca lo había visto llorar. Pero él lloró esa noche. Y le dijo a DeWayne:

—Hijo, Jesús vino realmente a mi vida y tocó mi corazón.

Allá en lo profundo del corazón de DeWayne se cumplió un anhelo de un año largo. Algo tocó una cuerda sensible y el hijo contestó al padre con lágrimas en sus ojos.

DeWayne regresó a su casa esa noche y le pidió al Señor que hiciera un milagro en su vida como lo había hecho en la vida de su padre.

Y esta vez, DeWayne empezó a ver la necesidad de rendirse completamente.

—Nadie supo que me había hecho cristiano porque al principio no se lo dije a nadie —dice él. Buscando y necesitando compañerismo, recordó la vieja iglesia familiar de Nashville.

Entró silenciosamente al servicio, pero fue reconocido por antiguos miembros. Fue recibido en la vieja iglesia como si fuera el hijo pródigo.

—La cosa más asombrosa en cuanto a DeWayne fue el efecto que la Palabra de Dios tuvo sobre él —dice el antiguo joven pastor Jim Smith—. Vino durante mucho tiempo a los estudios bíblicos y entonces la Palabra de Dios comenzó a echar raíz en su corazón. Y cuando así lo hizo, le comenzó a sanar la mente. Cuando finalmente comenzó a cantarles a los chicos de la iglesia, estaba ya verdaderamente ungido de Dios.

Pero todavía no rendía absolutamente todo en su vida. Todavía seguía con las drogas que habían sido parte de su vida desde la adolescencia.

Después de todo —pensaba él—, eran parte de su estilo de vida.

Seguramente que el Señor no espera que tú rehagas enteramente tu personalidad.

—Recuerdo una vez que él dijo que había usado drogas el fin de semana —declara el pastor Smith—. Quedamos estupefactos, pero la honestidad con que compartió su lucha nos obligó a simpatizar con él.

La última vez que DeWayne tomó drogas fue en 1980. Trató de darle su testimonio a un amigo músico de "rock", pero en cambio él lo convenció de volver "al viejo tiempo".

—Traté de hablarle del Señor, pero me hallaba en la carne —dice—. Me sentí tan culpable y frustrado después de eso que el Señor tuvo que decirme: "Mira, tú no tienes que pasar por esto otra vez". El Señor me mostró simplemente que yo tenía que andar cerca de El.

La sanidad de la mente de DeWayne después de décadas de usar drogas es asombrosa. Pero otra sanidad es mas asombrosa para él: la sanidad de su matrimonio.

—Jesús me perdonó y eso es maravillos —dice—. Pero que Gladys me haya perdonado y me siga amando es más milagroso todavía. Lo que Dios ha hecho en mi matrimonio, no puedo expresarlo con palabras.

Cuando la fe de DeWayne fue creciendo, y también su disciplina, así creció la confianza del *Evangel Temple* en él. La música que por tan largo tiempo había sido una parte de su vida, por fin significaba algo para él.

Ahora podía cantarle a su Señor con quien tenía una profunda y personal relación.

Empezó un trabajo entre los jóvenes con un grupo de amigos cristianos que habían estado en el "rock". Hoy en día tienen un ministerio musical muy exitoso.

DeWayne Jones está decidido a no permitir que su creciente popularidad se vuelva un tipo de cristianismo basado en el negocio, como fue el de su familia.

—No hacemos anuncios ni tenemos una agencia para programar conciertos —dice él—. Solamente contestamos el teléfono de la iglesia, y si alguien nos invita a ministrar, oramos por ello. Nunca decimos, "Está bien. Si nos dan tantos dólares iremos". Mi propósito en el camino no es vestir camisetas y marcar récords de ventas. Ya he vendido millones de discos. Mi propósito son todas esas personas que vienen al cuarto de oración después de un concierto, aquellos que responden al llamado al altar. Mi vida no me pertenece más a mí. El Señor que dirige mi vida está haciendo un trabajo increíble. Yo no podría comprar eso ni en 20 millones.

Tampoco permite que su popularidad interfiera en su testimonio. DeWayne Jones cree fervientemente que los cristianos deben testificar uno a uno y diariamente, si es posible. Y vivir vidas que sean una luz de esperanza a un mundo que busca ansioso luz y verdad.

El se ha rendido.

Hay un nuevo movimiento del Señor entre jóvenes como DeWayne que han visto la prostitución del evangelio y están deseosos de ir a cantar y predicar sin paga.

No quieren ir en su propio poder. Son guerreros sobrenaturales. Y su ministerio los está llevando a través del fuego. Lo mismo que Astrid, Tom y Leisha, y la pequeña Amelia y los chicos de Island Pond, han visto y conocen la protección de Dios.

Igual que David, Daniel y Josafat, han visto lo superficial de las mentiras de Satanás, el brillo artificial de sus vacíos placeres. En vez de ello, han escogido la bondad de Dios. Su su poder y su grandeza.

Tales guerreros, espiritualmente fuertes, harán la nueva generación de líderes evangélicos.

Dios va a humillar a los gurús espirituales que están enredados en sus juegos político-religiosos que son pérdida de tiempo.

Está dando vuelta a su cara a los poderosos que tratan de lograr su lugar en la mesa, a la mano derecha de Dios.

Está arrojando a la pobreza a todos aquellos que manchan el evangelio, tratando de hacer un dólar con el nombre de Jesús.

Todo eso va a caer. Nuevos guerreros se están levantando. Con corazones puros.

El Señor se está revelando a los que le buscan honestamente —y se está negando a todos aquellos que prostituyen Su Reino.

El Señor dará fuerza a los combatientes en las trincheras... no a los que se encierran en torres de marfil.

¿Cómo? ¿Cómo echará abajo a los impostores?

Los fraudulentos piensan que ellos saben cómo contraatacar, pero en realidad, ya han caído como presas de su falso dios, Lucifer.

Gracias a Dios porque Su rectitud permanece y Dios vindicará a Sus santos.

Los rectos viven por fe y tienen una bienaventurada esperanza. Estamos vestidos de Su justicia, y Cristo tiene muchas, muchas recompensas preparadas para nosotros. Algunas de ellas son dadas aquí en la tierra.

En el libro del Apocalipsis leemos:

> *"Gocémonos y alegrémonos y démosle gloria; porque han llegado las bodas del Cordero, y su esposa se ha preparado. Y a ella se le ha concedido que se vista de lino fino, limpio y resplandeciente; porque el lino fino es las acciones justas de los santos.*

Apocalipsis 19:7-8.

Gracias a Dios porque los justos han de prevalecer y Dios vindicará a Sus santos.

Capítulo 13

Capítulo 13

Una escaramuza con la muerte

A la salida de la autopista, en Colorado Springs, una pequeña camioneta hacía un giro a la izquierda. La luz del semáforo se puso verde, y el conductor quitó el pie del freno y lo puso sobre el acelerador.

Como lo había hecho cientos de veces antes, entró en la intersección. En ese preciso instante todo su mundo se hundió en un ruido de metal golpeado y una lluvia de vidrios que hacían explosión. Todo se volvió oscuro cuando el enorme camión de gasolina chocó contra el pequeño vehículo, lo hizo girar como un trompo y lo lanzó contra los postes de electricidad. La conductora de la camioneta quedó inconsciente, con la cabeza sobre el volante.

En medio de un tremendo silencio algunos testigos del accidente miraron con espanto.

—¡Dios santo! —exclamó alguien.

—¿Está ella muerta?

—¡Que alguien busque ayuda, por favor!

Un joven corrió a la camioneta destrozada y trató de abrir la portezuela. Había un fuerte olor de aceite y gasolina. Sabía que tenía que quitar pronto a la señora de ahí, antes que el camión y el pequeño vehículo estallaran en llamas. ¡Esa mujer podía ser quemada viva!

Pero ella permanecía inconsciente, inmóvil, caída sobre el volante, con el rostro hecho una masa de vidrios y sangre.

Reaccionando rápidamente, el joven le pidió a otro hombre que le ayudara a mover el techo corredizo de la camioneta. Cuando pudieron observar mejor a la mujer, notaron que respiraba con dificultad. Los dos jóvenes le levantaron la cabeza con cuidado.

Yo estaba en camino a mi oficina, donde tenía que firmar algunas cartas antes de ir a tomar el avión para una ciudad donde tenía un compromiso de predicar dos días. También ya estaba listo para hacer un viaje a Holanda, donde tendría que enfrentarme con un grupo de satanistas que se habían puesto en contacto conmigo. La adoración de demonios es particularmente conspicua en Holanda, al parecer pacífica tierra de molinos de viento, tulipanes, diques y Hans Brinker. Al volante de mi auto iba John Arana, el director ejecutivo de mi ministerio. Súbitamente aminoró la marcha.

—Nicky —me dijo—. ¡Eso parece un tremendo choque!

—Sí, se ve bastante tremendo! —asentí.

Cuando nos acercamos me fijé en el pequeño vehículo. Quedé paralizado de asombro.

—¡Querido Jesús, es mi auto! —grité— ¡Gloria, Gloria! ¡Jesús, es mi preciosa esposa Gloria! ¡Mi mejor amiga! ¡Mi única real confidente en la tierra! Por algunos momentos no podía creer lo que estaba viendo. No podía creer que ella estuviera viva.

—Querido Señor —oré—, no permitas que ella sufra.

John vio todo también. Con un rechinar de gomas detuvo el auto.

Pero yo ya había saltado del auto y corría hacía el vehículo accidentado. El joven que estaba sobre el techo me preguntó quién era, cuando yo toqué a mi esposa.

—¡Es mi esposa! ¡Es mi esposa! —grité angustiado.

Tomé su cabeza en mis manos y empecé a orar y pensar. Súbitamente todo lo que estaba dentro de mí, mis emociones, mi sentido del tiempo, mi conciencia de todo lo que estaba ocurriendo alrededor de nosotros, pareció congelarse en el tiempo y el espacio. No podía creer que mi esposa estaba sentada allí, sin esperanza, sangrando de su cara, por su boca, sus manos. Mi corazón gritó dentro de mí cuando le rogué al Señor que le preservara la vida. Pocos minutos antes ella había salido para llevar a nuestra hija Elena a la escuela.

—Adiós —había dicho Gloria mientras me daba un beso—, te veré dentro de dos días. Que tengas una buena campaña.

Y ahora estaba ahí, aplastada en su asiento, entre metales retorcidos. Muerta según me parecía. Profundos dolores de pena y tristeza, como nunca había sentido antes, invadieron mi ser. Esta era la única mujer que yo había amado. La madre de mis hijas. Mi mejor amiga. Mi amor. Mi apoyo moral. Mi estabilidad emocional en tiempos de tribulación. Quebrada. Sangrante. Sufriendo grandes dolores. Entonces empecé a sentir un gemido. Ella trataba de decirme que se hallaba bien. Pero no podía hablar. Tenía un dolor terrible, pero todavía tratando de consolarme, de asegurarme de que todo terminaría bien. Estaba malamente herida. Pero mi Gloria trataba de ser fuerte.

¿No es así verdaderamente como es ella? Tratando de ayudarme a mí cuando era ella la que estaba en agonía. En un susurro oré sobre ella. Y puedo decir que ella reconoció mi voz. Mi corazón saltó de alegría dentro de mí y mi fe comenzó a reanimarse.

Yo había visto sangre antes. Muchas veces.

Cuando era un muchacho de las calles, había sostenido en mis brazos a Manny, mi amigo, cuando él luchaba por retener la vida. Había estado nevando. El cielo estaba gris. Yo me hallaba de rodillas, abrazando a Manny contra mi pecho, meciéndolo desesperado, presintiendo que la ambulancia no llegaría a tiempo. Cuando la sangre que brotaba de sus treinta y dos heridas de cuchillo empapó el suelo, exhaló un profundo y último suspiro, y eso fue todo. Yo me sentí lleno de intensa ira. Yo tenía que vengarlo. Tenía que matar a todos aquellos que lo habían matado.

Grité fuertemente dirigiéndome al frío y alto cielo:

—¿Por qué, Dios? ¿Por qué dejaste que Manny muriera? Aun si tú existes, tú no eres amigo mío. No tengo más interés en ti. Tenlo en cuenta Dios. Nunca voy a creer en ti, de ninguna manera. Arrodillado en la nieve ensangrentada, no tenía ningún lugar donde ir. Era un muerto, emocional, psicológico, físico y espiritual.

Pero este caso no era el de Manny. Esta era mi amada Gloria. Y yo no era más ese inquieto león joven, el rebelde sin causa, clamando a los cielos por respuestas o soluciones. Ahora tenía al Señor Jesucristo conmigo.

Mientras mantenía sostenida su cabeza y ponía atención a su dolor, quise abrazarla y comunicarle mi amor y mi consuelo. Pero no podía hacerlo. Tenía que mantener firme su cabeza en mis manos, para proteger su cuello.

Si sufría algún daño en el cuello podría quedar paralizada. Tenía ganas de gritar y de llorar fuertemente, pero mi sistema estaba completamente pasmado.

En medio de este torrente de emociones, oré y tuve esperanza, que no habría mayor daño. Podía ver que su pierna había sido malamente golpeada. No tenía manera de moverla, porque el metal aplastado la aprisionaba al asiento. En este momento comprendí cuán diferente era esta situación a aquella otra de Manny. Ahora yo no estaba desafiando a Dios. Esta vez, El era mi amigo. El Creador del universo. El único que podía mantener a Gloria segura y con vida hasta que viniese la ayuda.

El olor de la gasolina derramada parecía salir de todas partes, y quemaba mi nariz. ¿Podríamos salir de esto? Yo no podía ayudar en nada. Pensé si no tendríamos que encontrarnos con Jesús en medio de un infierno de gasolina incendiada. Sin embargo, la paz de Dios reinaba en todos lados. Permanecí quieto y en calma.

Gloria sabía esto también. A diferencia de Manny, ella estaba llena de fe. Una fe fortalecida por incontables horas de oración y años de confiada dependencia en El.

Volví a susurrar una oración, y sentí de una manera extraordinaria la presencia del Espíritu Santo. Miré alrededor y vi a John orando con lágrimas. La cosa me asombró. Desesperado y confuso como estaba por el accidente, sin embargo no tenía miedo. Tenía un extraño sentido del poder de Dios fluyendo dentro del pequeño auto aplastado y retorcido. De algún modo supe que ella viviría.

Tan poderoso fue este sentimiento que me di cuenta de que el Señor sostenía a Gloria contra su pecho en una manera como yo no podía. Estaba tomando el dolor de Gloria sobre El, como yo lo hubiera hecho de haber podido. Mientras temblaba sentí la presencia del Señor Jesucristo. El estaba ahí. Al lado nuestro, en el auto chocado. Incliné mi cabeza y me sometí a Su autoridad. Y le di gracias. Y alabé Su nombre. Y le adoré.

Mientras sostenía firmemente su cabeza en mis manos para protegerla, supe que Jesús la estaba consolando, hablando a su mente inconsciente; fortaleciendo su delicado espíritu.

Suavemente y lleno de compasión, el Señor habló a mi corazón. "Hazte cargo de lo natural. Yo me ocupo de lo sobrenatural".

Miré hacia arriba, y vi la furia del santo y poderoso ejército de Dios. Angeles de Dios estaban en batalla contra las fuerzas de la muerte y destrucción. Me regocijé. No había manera de que el ángel de la muerte se acercara a nuestro destrozado auto, porque estaba rodeado de grandes seres sobrenaturales. Y mientras contemplaba este poderoso despliegue, oí la voz queda y suave del Señor: "Gloria me pertenece. Ella es mi hija. Ella está dedicada a mí. Yo la voy a proteger". Yo sabía que Dios estaba moviendo cielo y tierra por esta amada mujer. Mi espíritu comenzó a regocijarse por la victoria de la cual era testigo.

—¡Gracias, Jesús! —murmuré.

Me sentí como un chico dando gracias a su papito por el gran regalo que acaba de hacerle.

En ese momento Gloria recuperó su sentido. Aunque estaba sangrando profusamente y tenía huesos rotos, se dio cuenta de que yo estaba allí. Me di cuenta de que ella estaba también confiando plenamente en el Señor. Me sentí lleno de un tremendo sentimiento de alivio y gratitud.

Una de las más hermosas cosas para ver fue la sincera preocupación de toda la gente alrededor nuestro. Una mujer se me acercó y me dio su tarjeta. Ella había visto el accidente y me dijo que el chofer del camión era el culpable. Me dijo que estaba dispuesta a hacer cualquier cosa para ayudarnos.

Mi corazón latió fuertemente cuando sentí la sirena de la ambulancia. Oré diciendo:

"Apúrense, por favor apúrense. Por favor, Señor Jesús, haz que se apuren".

Súbitamente la ambulancia y vehículos de emergencia estaban ahí. Casi instantáneamente unos obreros estaban moviendo el camión.

Cuando nuestra pequeña camioneta cayó estropeada sobre el suelo, sentí el propio dolor de Gloria. Y también sentí la presencia de Dios sobre todo el vehículo. Sabía que un poder invisible rodeaba a Gloria mientras el retorcido metal era removido y ella era sacada de la cabina aplastada y deshecha.

Los paramédicos la sacaron suavemente. Rápidamente pusieron un collar de fieltro alrededor de su cuello, y cuidadosamente la colocaron en una camilla. Yo tenía muchas preguntas. Necesitaba consuelo.

Cuando levanté mis ojos y contemplé a los paramédicos y la gente que se había reunido, me sentí desamparado. Buscaba penosamente una esperanza, una respuesta. Por primera vez me hallaba insuficiente e inseguro. Todo mi mundo se había hecho trizas y había sido transportado a la zona crepuscular de la dura realidad.

—¿Cómo va a estar ella? ¿Adónde la van a llevar? ¿Está sufriendo mucho? —pregunté rápidamente.

Aunque las respuestas de los paramédicos fueron vagas sentí que ellos se preocupaban sinceramente por Gloria y por mí. Pienso que ellos comprendían mis sentimientos de ese momento. Yo estaba en paz. Dios me había fortalecido de una manera sobrenatural. Me había dado un atisbo de Su poder y de Su ejército.

Rápidos como relámpago subieron a Gloria a la ambulancia.

"¡Oh Jesús!" —clamé—, "ahora comprendo algo del dolor de Tu madre cuando te vio sufrir en la cruz".

El viaje al hospital me pareció una eternidad, aunque sólo tardó unos momentos.

"Jesús, por favor. Manda Tu gran poder obrador de milagros sobre Gloria" —supliqué.

Pero ella experimentó una serie de milagros, incluyendo una súbita detención de la hemorragia, médicamente inexplicable, cuando estuvo en el cuarto de emergencia.

Mientras yo oraba caminando de un lado a otro oí súbitamente una voz.

—Señor Cruz, su esposa ha tenido un trauma muy grande y ha perdido mucha sangre, sufrió un accidente casi fatal. También tiene huesos quebrados en cinco partes del cuerpo. Personalmente no comprendo todo bien, pero creo que su esposa se va a reponer muy pronto y quedará totalmente bien. La tendremos en la unidad de cuidado intensivo por algún tiempo. ¿Por qué no se va a descansar unas cuantas horas y luego vuelve? Quizás entonces pueda hablar con su señora.

Le di las gracias al doctor y decidí ir a la oficina a hacer algunas llamadas telefónicas para informar a amigos y parientes del accidente ocurrido a Gloria.

Cuando entré a mi oficina parecía que cada fibra de mi ser estaba despegada. Lloré, grité, oré y clamé. Por momentos alabé y di gracias por el milagro ocurrido, por momentos temí y quedé estupefacto.

"Jesús, Señor, por favor te ruego, toma Tú el control de todo este asunto, porque yo sé que por mí mismo no puedo controlar esta situación. ¡Yo la he perdido!"

Súbitamente con la suavidad y ternura de la lluvia de primavera, sentí la presencia del Espíritu rodeándome. Sentí paz de nuevo, y me di cuenta de que todo saldría bien.

Empecé a comprender por qué había estado inquieto durante dos semanas. Había sentido esa inquietud y desasosiego cuando había mandado un mensaje a cierta conferencia. La había sentido cuando Gloria y yo hablábamos acerca de un libro que pensaba escribir sobre un manual de guerra para combatientes cristianos.

—¿Vas a escribir acerca de brujería otra vez? —me había preguntado ella.

—No —le había asegurado—. En este libro quiero advertir a los cristianos acerca de las fuerzas que corrompen a la iglesia y a los creyentes.

Yo había comprendido su preocupación. Cuando yo estaba escribiendo *Rompiendo la maldición* parecía que todo el infierno se había soltado. Le hicimos frente a toda clase de ataques demoniacos.

Le dije a Gloria que estaba firmemente decidido a exponer todos los inventos del enemigo. Ella asintió silenciosamente.

—Nicky —me dijo—, estoy empezando a ver que tú estás pasando por algunos cambios. No podemos permitir que nuestra familia pase por las mismas cosas que pasó la última vez.

—Lo comprendo —le había asegurado a ella. Pero había quedado hecho trizas. En las siguientes semanas viajaríamos a Inglaterra donde podríamos ver doce días corridos de poder y gloria, cuando cantidades de jóvenes llenarían el estadio y dieran sus vidas a Jesús. De allí, sin ningún descanso, volamos a Polonia.

Allí, una de las cosas más hermosas para ver fue la faz de Gloria brillar con gozo y amor cuando miles de personas respondían al mensaje. En Varsovia 2.500 personas vinieron al Señor en una sola noche.

Ellos habían visto la película *La Cruz y el Puñal*, en la cual el actor Erik Estrada había hecho mi papel y Pat Boone el de David Wilkerson. Antes de la cruzada se habían distribuido en el país miles de copias de mi libro *Corre, Nicky, corre* traducido al polaco.

Así que la gente se había amontonado, deseando tocarme o estrecharme la mano, urgiéndome a orar con ellos.

Varias veces estuvimos a punto de ser asfixiados entre el montón de gente. Gloria había tenido miedo. Los guardias de seguridad nos escoltaron hasta ponernos a resguardo, lejos de gente que pugnaba por asirnos con lágrimas de gozo en sus ojos. Yo había sentido el poder del Espíritu en ese viaje por Polonia. Sentí un gran movimiento del Espíritu de Dios. Por primera vez se nos permitía entregar literatura a todos aquellos que pasaban adelante. Fue una explosión espiritual. En pocos días vi como 6.300 personas venían a Jesús.

—Gloria —le dije entonces—. Este es el lugar para ti y para mí. Estas personas son virginales en sus corazones. No están corrompidos todavía. No son materialistas o hedonistas. No quieren oír hablar de legalismo o prosperidad. Tienen hambre y sed sólo de Dios.

Gloria asintió con emoción. Juntos prometimos que, en nuestra siguiente visita, traeríamos con nosotros 75.000 Biblias.

En los meses siguientes ese fue mi meta, sueño, deseo y oración.

Se tornó en mí una pasión intensa, una compulsión que me consumía.

Al mismo tiempo estaba atravesando tiempos difíciles con los satanistas de Holanda. En meses recientes se habían puesto pesados, interrumpiendo mis cruzadas, y haciendo gala de su maligna adoración de Lucifer.

Satanás está muy mal comprendido, enseñan ellos en santuarios oscurecidos, llenos con 500 o más miembros que no poseen absolutamente ningún valor moral. Dios —dicen ellos— no es tan bueno ni tan poderoso como la Biblia dice. Esto de acuerdo a esa gente iracunda, que se alaban a sí mismos. Gente obsesionada, cuyos servicios están llenos con sexo, sacrificio de animales y una profana anticomunión, servida delante de una mujer desnuda reclinada en un sofá.

Tales cosas parecen imposibles en Norteamérica.

Pero están en aumento. Creo que éste es uno más de los signos que anuncian la Segunda Venida. Esta gente, hambrienta de poder, está lista para el regreso de su grande y maligno mesías, el anticristo.

La ironía de todo esto rompe el corazón. Yo los encontré en Holanda, un país libre, capitalista, democrático, miembro de la Alianza Occidental y de la NATO —un país que evoca pensamientos de molinos de viento, tulipanes, zapatos de madera, y chicos robustos patinando sobre hielo en pintorescos canales. La tierra de Hans Brinker, Corrie ten Boom, y la buena reina Juliana. Pero en la compañía de los satanistas holandeses uno se siente como si retornara a los días de Noé o Sodoma y Gomorra.

Entre tanto, entre los cristianos de Polonia me sentí como si estuviera en el Libro de los Hechos. Esas gentes estaban dedicadas hasta la muerte, parados firmemente por Cristo en una oscura tierra comunista, llena de temor y muerte. Ellos estaban experimentando el poder de Dios. Había sido algo maravilloso para mí experimentar todo ese gozo con mi bella Gloria a mi lado.

Gloria...

Cuando volví al hospital y hablé con ella, me urgió a que tomara el avión y me fuera a la campaña de dos días que tenía programada.

—¡Vete —me dijo con entusiasmo—, vete, y conquista! —hablando todavía desde la Unidad de Cuidados Intensivos.

—Querida, no hables niñerías. Yo amo al Señor con todo mi corazón, ¿pero dejarte a ti sola? ¡Nunca! —dije firmemente—. ¡Voy a cancelar las reuniones!

—Nicky, siento en mi corazón que tú debes ir, ¡tú debes ir! Yo sé que es la voluntad de Dios que vayas, y me dejes a mí en Sus manos —dijo ella con quieta autoridad espiritual.

—Gloria, mi amor, ¿estás segura de que Dios desea que yo vaya? —inquirí asombrado.

—Sí, Nicky. Tú debes ir —respondió.

Con las lágrimas corriendo de mis ojos, le dije:

—Querida, gracias por ser tal mujer de Dios, una maravillosa mujer de Dios. No tengo más remedio que ir. La besé con todo amor y salí del cuarto con mis ojos húmedos de alegría y de tristeza.

Durante todo el trayecto hasta el aeropuerto de Colorado Springs pensé que mi corazón se rompería. Pero también sabía que tenía que ir... era la voluntad de Dios.

Cuando llegué al aeropuerto de Denver tenía que esperar una conexión de aviones.

—¡Nicky, Nicky Cruz! —oí que alguien me llamaba. Era un ministro conocido mío que estaba parado ahí.

—Nicky, siento una gran carga por ti. Entonces tomó mi mano y comenzó a orar: "Señor Jesús..." y siguió orando por mí y por Gloria, que el Señor nos protegiera y nos diera fortaleza, que levantara nuestros espíritus y nos diera la paz de Dios. Fue una oración realmente alentadora, y mi corazón saltó en acción de gracias.

Supongo que para los demás pasajeros debimos parecer un par de tontos, tomados de la mano y orando en medio de una sala de espera atestada de gente, pero ese hombre, alegremente, levantaba su corazón hasta los cielos.

Nunca supe su nombre. El me dijo solamente que el Señor lo había guiado al aeropuerto para encontrarse conmigo y orar por mí.

No había sabido nada del accidente de Gloria todavía. Cuando le conté del accidente, di gracias secretamente a Dios por tener a alguien allí esperando con un mensaje de esperanza. No fue mera coincidencia.

Pero, una vez en el avión, el príncipe de las tinieblas hizo un intento más. Me hallé sentado al lado de una conocida hechicera y bruja, cosa que, como ustedes saben, me ha ocurrido otras veces.

Pero esta vez me sentía lleno de fortaleza.

—Tú no puedes tocarme —le hablé al espíritu maligno que estaba dentro de ella. Yo pertenezco a Jesús.

La mujer me echó una mirada de desprecio.

Pero me dejó solo, sumido en mis propios pensamientos.

Gloria salió del hospital seis días después del accidente. Ella recuerda muy poco del choque, sólo que, de algún modo, yo estuve allí con ella. Pero está muy dispuesta a dar gracias y alabar al Señor Jesús. El la libró de lo que parecía ser una muerte segura.

Cuando arribó al hospital no había en su cara ningún signo de cortaduras o heridas, aunque la tenía bañada en sangre. Jesús se había hecho cargo de su dolor y de su miedo.

Muy poca evidencia hay de que haya escapado de la muerte. Pero yo estaba allí, y lo recuerdo.

Recuerdo la presencia del Señor, y como El siempre acude.

Recuerdo los ángeles.

Recuerdo la paz.

Y recuerdo la victoria.

Capítulo 14

El encuentro con Jamie Buckingham

El autor Jamie Buckingham y yo comenzamos una estrecha amistad cuando él era un batallador predicador de una pequeña congregación que se reunía en un pequeño local en Eau Gallie, estado de Florida.

Yo era un pobremente educado, nervioso insecto de las calles de Nueva York, asombrado de que la historia de mi conversión se había convertido en un exitoso libro y una popular película, *La Cruz y el Puñal.*

A lo largo de los años, Jamie y yo pasamos juntos muchas cosas. Y no la menor de ellas el traumático colapso de la editorial *Logos International*, junto con *Logos Journal* y *National Courier*, dos publicaciones de ellos. Ambos perdimos con ello una buena cantidad de dinero duramente ganado, en un sueño que no llegó a ser.

Si usted ha leído los libros de Jamie, *Risky Living, A Way Throught the Wilderness, Daughter of Destiny,*[1] *My Summer of Miracles*, o su columna mensual en la revista *Charisma*, se habrá dado cuenta de su cándida apreciación de los movimientos de Dios en la vida de cada día.

Una noche, cuando yo sufría con los estudios del colegio bíblico, Jamie y yo nos sentamos en la cocina y me ayudó a empezar a escribir mi testimonio. Ese testimonio se convirtió en el libro *Corre, Nicky, corre* del cual se vendieron miles de ejemplares y fue un exitazo.

Este esfuerzo cooperativo fue tanto para él como para mí, nuestro primer libro.

Juntos escribimos unos cuantos más. El ha escrito más de cuarenta, entre ellos el notable *Power for Living*, y varios con gente tan notable como Kathryn Kuhlman, *The Happy Goodman Family*, el congresista y astronauta Bill Neson, y Corrie ten Boom.

Por eso fue un tremendo impacto para mí cuando un amigo mío, miembro de su iglesia, me mandó una nota por "fax" diciendo: "¿Sabías que Jamie Buckingham tiene cáncer, y no se espera que viva?"

Estupefacto, llamé personalmente a Jamie. Era cierto. Básicamente el doctor le había dicho que tenía que irse a casa y esperar la muerte.

Pat Robertson, en su Club 700, anunció que Jamie sufría de cáncer terminal, inoperable, incurable... fatal. Pat pidió a todos los cristianos que oraran por él.

Esa tarde oré con Jamie y fui tocado por su falta de temor. Su espíritu estaba bien. Estaba luchando bravamente. Comenzó a compartir cosas conmigo, con una voz un tanto temblorosa.

1 Hija del destino, título en español.

Miles de cristianos, por toda la redondez de la tierra, estaban orando por él, y él sentía el poder de esas oraciones. Era eso una experiencia increíble, me dijo.

—Ha sido la mejor semana de mi vida —dijo—. La más gloriosa de todas. La más temerosa. Las cosas que han sucedido entre Dios y yo son indescriptibles.

Mientras hablaba con él me parecía irreal. Era algo imposible que Jamie tuviera cáncer. Pocos años atrás, deprimido porque ya se acercaba a los cincuenta años, Jamie estaba sintiendo el impacto de la mediana edad, y la realidad de que la juventud se había ido para siempre.

Jamie me había dicho por entonces que Dios le había prometido vivir otros cincuenta años... si él cooperaba en ello. Pensaba que tenía que hacer más ejercicio, perder peso, y cuidar de sí mismo. Estuve completamente de acuerdo con él. El Señor me había mostrado a mí también que si quería vivir sano y durar muchos años, tenía que cuidar de mi cuerpo.

Como resultado, empecé a correr. Corrí a lo largo de playas solitarias, a través de parques tranquilos o en senderos de bosques hermosos. Es una alegría sobrepasada por muy pocas cosas en el ámbito físico de la creación de Dios.

Jamie empezó a jugar baloncesto, *racquetball*, y a correr. ¿Pero era eso realmente lo que Dios significaba cuando le dijo que debía "cooperar con El"?

—Me equivoqué, Nicky —me confesó Jamie por teléfono. Traté de hacer todo con mi propia fuerza. Lo que Dios quería decirme era que le dejara a El ser Dios. Tendría que dejar de querer hacer todo por mí mismo.

—Así que un día, jugando raquetbol a los cinco minutos quedé totalmente exhausto. Apenas podía respirar. Toda la energía había salido de mi cuerpo.

»Nunca me había sentido así antes, Nicky. Sentí la extraña sensación de que nunca antes me había pasado tal cosa en mi vida. Salí de la cancha y les dije a los amigos que jugaban conmigo: "Voy a tomar un poco de agua", pero no podía tragar nada.

»Quise alejarme de ellos. Estaba completamente turbado por lo que me estaba ocurriendo. Caminé de aquí para allá, tratando de respirar. Volví a la cancha y seguí jugando, pero no podía hacerlo bien. Me sentí feliz cuando terminó el juego.

Esa noche Jamie tuvo una ligera fiebre. Al día siguiente fue al doctor quien lo examinó, le sacó sangre, y una semana más tarde le dijo que el análisis de sangre revelaba la posibilidad de linfoma. Cáncer del sistema linfático. Un examen general reveló una ominosa sombra en uno de los riñones.

Jamie compartió la mala noticia con su congregación, la Iglesia del Tabernáculo de Melbourne, Florida. Una iglesia que creció desde aquel pequeño local hasta ocupar en la actualidad media manzana.

La congregación empezó a orar fervientemente, incluyendo un culto de oración a las seis de la mañana, al cual asistían no menos de trescientos hombres.

Pero las noticias eran cada vez más malas.

—El diagnóstico es carcinoma de las células del riñón izquierdo —dijo el doctor—. Es una cosa inoperable. No le haríamos ningún bien operándolo.

El cáncer era incurable, y estaba en sus últimas etapas de desarrollo. Cuando se habló de radiación y quimioterapia el doctor sacudió la cabeza. El cáncer era muy antiguo, había invadido las glándulas linfáticas, huesos y extendido por el pecho de Jamie.

—Jamie va a morir —dijo el doctor—. Ningún tratamiento puede recomendarse.

¿Entró Jamie en pánico? No.

Cuando yo lo llamé, estaba en paz.

No se había rendido.

Estaba contraatacando, en una nueva y maravillosa manera. Mayormente, estaba aprendiendo a confiar en el Señor.

—Nicky, he decidido que mi boca confesará al Señor —me dijo.

La bondad de Dios.

Su misericordia.

Su providencia.

Su sanidad.

Su soberanía.

—Cuando fui al hospital para que me hicieran un examen de médula me preguntaron si yo había tenido cáncer alguna vez. Tenía que llenar cierto cuestionario contestando esa pregunta.

—No contesté el cuestionario. Puse una breve nota al pie diciendo: "Los doctores dicen que tengo...". Esto fue algo tonto. Yo no voy a ocultar mi cabeza en la arena y decir como dicen los de la Ciencia Cristiana que el cáncer no está allí. El cáncer está ahí, Nicky. Lo noto cuando estoy parado y siento cansancio en la espalda y que me duele un poco. Pero todo lo demás parece normal. Mi energía está un poco baja. Si voy a subir los escalones, no lo puedo decir.

Mis ojos se llenaron de lágrimas. Me di cuenta de que mi amigo estaba sufriendo dolores físicos, y también en su espíritu. Pero no había ningún resentimiento en su corazón, como gritándole a Dios, ¿Por qué? ¿Por qué? ¿Por qué?

—Nicky, no sé qué es lo que sigue de aquí en adelante —me dijo—. No tengo idea. Por lo pronto, he cancelado todos mis compromisos. No sé nada de lo que va a suceder.

Entonces quedó muy serio. Compartimos honestamente una cosa que recordé de aquellos ingenuos días cuando trabajábamos en *Corre, Nicky, corre*.

»He pasado la mayoría de mi ministerio como ministro adulto, repitiendo y filtrando lo que cada uno dice —me confesó quietamente Jamie—. Y la gente ha dicho: "Muchacho, Jamie sabe lo que está pasando en el Reino de Dios más que ningún otro". Bien, Nicky, yo no conozco nada. Yo sólo he sabido lo que todo el mundo repite. Tú no sabes nada acerca del Reino hasta que conoces al Rey.

Chasqueé la lengua. Pero me di cuenta de cuán serio hablaba. Puede haber tal tentación cuando tú o yo podemos predicar un lindo sermón con buenas palabras que quebrante los corazones de la gente. Podemos mover a la gente a hacer cualquier cosa que deseemos... pero nuestras poderosas palabras humanas pueden ser tan vacías que no son más que teatro.

Yo sabía lo que estaba diciendo.

Yo había pasado por eso también.

—He estado predicando un montón de cosas de las cuales no he sabido nada. Nunca he sabido cómo enfrentar la muerte. Nunca he tenido que vérmelas con la muerte en toda mi vida. Pensé que tenía por delante otros cincuenta años. Tengo cincuenta y ocho, y estoy orgulloso de poder hacer mucho más que muchos de mis colegas que tienen veinte años menos.

»Pero esta semana todo ha cambiado. Hemos apagado el televisor. No hay necesidad de mirar nada más. Cuando tú te enfocas en Dios, no hace ninguna diferencia lo que esté ocurriendo en cualquier parte. Hemos dejado caer el periódico.

»He sido la persona más ocupada del mundo. No he tenido tiempo para mi esposa. No he tenido tiempo para mi familia. No he tenido tiempo para Dios. Puedo predicar sin orar. Puedo tener buenas ideas. No tengo necesidad de escuchar a Dios para hacer un montón de cosas.

Yo sabía lo que me estaba diciendo. Sin el Señor dándote fortaleza, cuando intentas predicar sin la fuerza de Dios, sin Su poder, sin Su tiempo y momento, tú, como muchos predicadores, puedes hilvanar un buen sermón.

Pero el predicador que hace esto se siente después vacío. Se siente avergonzado. Te paras delante del público y parece que estás dando un gran mensaje que estás oyendo directamente de Dios, pero sólo estás reciclando material viejo, la sabiduría de otros o antiguas inspiraciones.

Y tú caes sobre tu rostro avergonzado.

Cuando finalmente te quedas a solas con Dios, oras para que nunca otra vez seas tan presuntuoso, tan vanidoso, tan incapaz de mirar a la gente y decir: "No estoy preparado esta noche para salvar a nadie porque he perdido una cita con mi Padre para preguntarle qué es lo que El desea que yo diga esta noche".

Hay que tener algunas entrañas para pararse ante el micrófono, y con rubor en la cara decirle a la congregación que por favor ore por ti, para no pecar pretendiendo hablar con la fuerza de Dios cuando en realidad estás predicando con tu sola sabiduría y conocimiento.

Da temor.

Ellos pueden reírse de ti, y perderte el respeto, tal como lo mereces.

O puede ser, como sé que ha sucedido con mi viejo mentor David Wilkerson, caer sobre tu rostro delante del Señor. Ellos pueden humilde, honesta, y gozosamente buscarle a El, y rogarle que El les hable en esta noche.

Sé de una vez que David Wilkerson cayó delante del Señor gimiendo en total vaciedad y debilidad humana, pidiendo a Dios le mostrara Su camino, Su verdad y Su vida.

Cuando David se levantó esperaba no encontrar a nadie en la iglesia. Pero no, todos estaban allí todavía, con lágrimas corriendo por sus mejillas y el corazón partido en dos. Y no era porque David Wilkerson había hecho drama.

Era porque ellos, también, habían buscado al grande y Todopoderoso Dios. Y le habían pedido que les hablase.

Y El lo hizo. Y Su grandeza y Su majestad nunca antes habían estado presentes en esa forma.

Quietamente, escuché la doliente voz de Jamie.

Y elegí creer juntamente con él que sería sanado. Que ya estaba sanado.

Que esto no era "para muerte".

Pero esto no era el fin de la batalla.

Capítulo 15

¡No pelear solo!

No hemos podido encontrar un médico cristiano, y tengo que hablar con médicos seculares que no comprenden de dónde vengo yo, y eso hace la cosa más difícil —me dijo Jamie Buckingham días después que le diagnosticaron cáncer terminal.

Cuando él les dijo que gente de casi todo el mundo estaban orando por su sanidad, los doctores asintieron respetuosamente, pero no tomaron la cosa en serio.

¿Por qué Jamie no había consultado antes a un médico cristiano? Bueno, cuando uno ha tenido buena salud por muchos años no tiene necesidad de consultar un médico.

Jamie no había tenido ninguna revisión médica en años. Nunca había sido un paciente de hospital. Ni siquiera había nacido en un hospital.

Comprendí su frustración. Cuando yo me arrodillé al lado de mi esposa en el auto destrozado, sentí la presencia de ángeles, y tuve la gloriosa seguridad de parte de Dios que todo saldría bien. También supe que los paramédicos no lo creían.

Cuando llegamos al hospital los médicos y las enfermeras no comprendían que nuestra situación era diferente a la de los otros enfermos que no conocen a Jesús.

Muchos eran cristianos, y asistían a la iglesia. Pero todavía no comprendían.

No captan la idea de que nosotros creemos y confiamos en un gran Dios que es soberano sobre enfermedades incurables y heridas irreversibles.

Jaime me dijo que le había telefoneado Bernie May, el presidente de los traductores de la Biblia Wycliffe. Ellos habían puesto en su computadora la noticia de la enfermedad de Jamie, y misioneros en todo el globo se habían informado del problema. Wycliffe es la organización misionera más grande del mundo.

—La semana pasada, cuando todos estos traductores de la Biblia alrededor del mundo encendieron sus computadoras en la mañana, vieron aparecer en la pantalla un pedido de oración a favor de Jamie y Jackie Buckingham.

»El requerimiento era algo raro. Les pedían a todos los misioneros que encontraran un texto apropiado para nosotros. Y hallaron este: "Tú guardarás en completa paz a aquel cuyo pensamiento en ti persevera" (Isaías 26:3).

»Naturalmente, no oren por mi sanidad, es lo que primero que pensé. Pero luego, después de reflexionar un poco, me di cuenta de que ellos habían hecho la oración correcta. Lo que yo más necesito ahora es la perfecta paz de Dios.

»Hablé con Oral Roberts por teléfono la otra noche. El habló conmigo llorando, gimiendo y diciendo: "Tengo fe suficiente para creer que serás sanado, que éste no es tu tiempo todavía. Pero el Espíritu de Dios te dará la misma fe. Mi propia fe no es suficiente. El tiene que darte fe a ti también".

»Hablamos bastante tiempo y él dijo: "Deseo orar por ti. Pero antes que lo haga, tú debes orar por mí. Tú sabes, yo padecí de tuberculosis cuando joven, y casi muero. Dios me salvó de todo eso. Pero mis pulmones están débiles todavía, y me duelen. Ahora tengo una tos horrible". Y yo podía oír a Oral toser.

»Oral me dijo: "Nadie sabe que estoy enfermo. Nadie está orando por mí. No bien se supo que tú estás enfermo, miles de personas se han puesto a orar por ti. Pero nadie ora por mí. ¿Quieres tú orar?"

»Súbitamente me invadió un espíritu de intercesión. Yo no había estado orando por gente. Recibimos muchas cartas de misioneros pidiendo oración. Pero les echamos un vistazo y luego arrojamos la carta al canasto, porque siempre estoy muy ocupado. La otra noche estuve en la cocina orando durante veinte minutos por alguien cuya carta había llegado en el correo. Era de un misionero en China.

»Ahora Jackie y yo oramos frecuentemente al acostarnos por la noche y al levantarnos por la mañana. Oramos mientras vamos en el auto. Oramos por otros, tanto como por nosotros mismos. Estamos sobrecargados con la necesidad de orar unos por otros y para que todos los cristianos sientan la misma carga. Y que dejemos de criticarnos y juzgarnos unos a otros. Solamente, orar los unos por los otros.

»De modo que oré por Oral. Y él oró por mí, y dijo: "Tú vez, cuando oras por otro, entonces la sanidad viene para ti. Pienso que por eso estoy en esta situación. He andado confiado en mi propia fuerza, haciendo mis propias cosas, y no escuchando al Señor.

Tengo que decírtelo, mientras oré con Jamie tuve que luchar con una sincera preocupación. La vida es muy difícil a veces. Nuestras cargas, nuestros chascos son pesados muchas veces. Y el Padre celestial tiene una maravillosa recompensa para nosotros en los cielos.

Vamos a descansar, por toda la eternidad en Su bondad, envueltos en Su amor, cantando alabanzas a El en adoración.

¿Cómo podía orar que mi amigo Jamie no tuviera esta recompensa ya? ¿Cómo podía orar que mi amigo quedara todavía aquí en este mundo, batallando contra Satanás, sufriendo de cáncer y soportando la humana debilidad de los cuerpos humanos?

No compartí con él estas dudas. En lugar de eso, Jamie me confesó que él muchas veces andaba espiritualmente en las alturas y otras veces abajo en el valle. No tenía ninguna duda en creer que Dios podía sanarlo. Pero su mente levantaba nuevas dudas, angustias y preocupaciones.

—Me puse a pensar en lo que habían dicho los doctores, y nada de eso es bueno —me dijo con dolor en la voz—. Está en mi naturaleza agarrar libros, correr a través de ellos, y ver cuántas posibilidades tengo. No voy a hacer eso. Que otro lo haga si quiere. Yo voy a escuchar la voz de Dios.

Días más tarde Jamie volvió a pedirles a los doctores que lo operaran y ellos volvieron a negarse.

Le dijeron que el cáncer estaba muy extendido.

Le dijeron que no había manera de tratarlo, que de todos modos volvería.

Lo mejor sería que Jamie pusiera tranquilamente todos sus asuntos en orden.

Era un hombre muerto.

Pero mi amigo había oído a Dios.

Suponía que tenía que ir adelante con la cirugía.

¿Has oído tú alguna vez la voz de Dios? Para muchos de nosotros la voz de Dios es una suave y persistente convicción interior.

Marcus, uno de mis colaboradores, oyó que una querida amiga suya, Sarah, había muerto en un accidente de automóvil. Enseguida se puso de rodillas.

"No, no, mi querido Señor" —oró mi amigo—. "Que sea algún otro. Haz que sea un error".

Entonces, profundamente dentro de él, Marcus supo que no era un error. Sarah había andado lejos del Señor durante años, pero en meses recientes había vuelto, y había entregado otra vez su vida a El.

Ella era una cristiana débil.

No era fuerte en el Señor.

Siempre estaba propensa a flaquear.

Pero ahora estaba lista para encontrarse con su Señor. Y era un bondadoso y amoroso Dios quien se la había llevado.

Aunque Marcus no oyó ninguna tronante voz desde los cielos, supo que no era un error.

Y sintió gran culpa por dudar de la sabiduría y del sentido del tiempo correcto que es del Señor. ¿Por qué pedir que fuera otro el muerto, uno que quizás no conocía al Señor?

"Perdóname, Señor" —rogó Marcus con su cara bañada en lágrimas, presionada contra el piso—. "Gracias por Tu bondad, Señor. Gracias por Tu misericordia para con Sarah".

La Biblia dice que Moisés hablaba con Dios.

Y que el apóstol Pedro oyó claramente Su voz.

En el día de hoy, oír la voz del Señor es una cosa maravillosa. Cuando eso te sucede a ti, tú lo sabes.

Aun así, busca en la Palabra. ¿Lo que tú has oído va de acuerdo con la Biblia? Busca consuelo de parte de cristianos sólidos y maduros, con buen discernimiento espiritual. No te pongas a anunciar la segunda venida del Señor, o no empieces una nueva denominación, sólo porque te parece que has oído la voz de Dios.

El diablo puede engañarnos fácilmente.

Cuando alguien pretende que Dios le dijo algo que te dijera a ti, pesa esa palabra cuidadosamente contra la Palabra de Dios antes de hacer cualquier cosa. Ve ante el Señor en oración ferviente. ¿Esta "palabra" dada a ti, concuerda con lo que el Espíritu del Señor te dice en lo profundo de tu espíritu?

Otra vez, busca el consejo de cristianos maduros, de buen discernimiento. Cristianos sólidos, particularmente ancianos de tu congregación estudiosos de la Biblia, que tienen bien ganada autoridad espiritual en tu iglesia.

¿Por qué?

Porque conozco gente que dicen haber oído la voz de Dios cuando quieren ganar una discusión, y esto es blasfemia.

Tú dices sí; ellos dicen no. Tú insistes en sí; ellos están firmes en no. Tú empiezas a ofrecer evidencia irrefutable que la respuesta es sí. Entonces ellos dicen que el Señor Todopoderoso les ha dicho a ellos no. Y declaran que si tú insistes en esta rebelión, estás peleando contra los verdaderos poderes de los cielos en tu engaño humano.

¡Caramba! ¿Cómo puedes tú argüir contra eso?

Recuerda, sólo porque alguno esgrime un buen argumento, no los hace a ellos estar en lo cierto.

Sólo porque ellos te hacen fruncir las cejas o te hacen callar no se les ha dado sabiduría.

Perder una discusión no te hace a ti estar equivocado.

A veces tendrás que sostener quietamente que lo que tú sabes es verdad, particularmente si has sido acusado falsamente, y te falta la habilidad verbal para hacer ver el error de tus gritones y escandalosos acusadores.

Busca la sabiduría del Señor.

Pídele te dé las palabras correctas.

El te las dará.

Recuerda esta vital, importante verdad: Tú no puedes ganar contra las fuerzas del engaño con tus propias fuerzas.

Tú y yo no podemos hacer callar a Satanás.

Pero el Señor puede silenciar sus mentiras, y fortalecerte a ti con las palabras apropiadas, la réplica efectiva que impondrá silencio a los aullidos de los malos espíritus.

O una poderosa manifestación de Su poder.

Jamie Buckingham oyó del Señor que estaba sanado, y que tenía que seguir adelante con la intervención quirúrgica que los doctores decían era inútil. Vez tras vez Jamie oyó al Señor asegurándole que sería sanado si cooperaba con El.

Sus doctores lo oían paciente, paternal y bondadosamente cuando él insistía en la cirugía. Miraban las radiografías, los análisis y las biopsias, y pensaban que era hombre muerto.

Fruncían el ceño y hacían gestos cuando él insistía en ser operado. Le decían que ese tipo de cáncer se extendía como fuego en zarzas secas cuando el paciente era abierto, que era mejor que aceptara su destino y se fuera a su casa a morir en paz.

Estaban cansados de discutir con un lego en medicina, este predicador de ojos grandes, imbuido de ideas místicas, que piensa que una deidad celestial va a bajar para sanarlo de un cáncer que está completamente fuera de curación.

—Dios me habló, casi audiblemente —me dijo Jamie—. Cuando despertaba cada mañana, de lunes a viernes. El me habló. Y fue el jueves de esta semana, por la mañana, que El dijo: "Coopera conmigo, y Yo te sanaré".

»Me agarré de la palabra "te sanaré". Porque deseaba intensamente oírla. Y El me sanó.

¿Fue todo tan simple como eso? Amigos y extraños estaban orando e intercediendo alrededor del mundo. En las oficinas de la doctora Mary Ruth Swope, nutricionista cristiana, una empleada llamada Julie Frahm sentía una carga especial por Jamie.

He aquí lo que Julie sintió que le decía el Señor.

—Esta enfermedad no es para muerte —dijo ella a los demás hermanos en un culto familiar del día jueves—. Pero Satanás desea que Jamie muera. Mientras estaba orando esta mañana sentí que las oraciones de miles de intercesores surtían efecto.

»Es como que la constante petición por esta cosa ha hecho retroceder a Satanás por dos kilómetros, pero todavía nos faltan un par de metros. No debemos abandonar la oración sólo porque la cosa casi ha pasado.

Jamie, también, sintió el efecto de las oraciones.

Y esas no fueron meramente oraciones por sanidad. En las reuniones de los hombres de la Iglesia del Tabernáculo de las seis de la mañana, no todas las peticiones eran por la salud del pastor. Con sus rostros delante del Señor esos hombres oyeron que ellos debían limpiar sus propios actos, poniendo las cosas derechas en sus hogares, restaurando relaciones y cambiando las costumbres en que estaban viviendo.

"Oh Señor, perdónanos" —lloró un hombre delante del altar—. "Hemos estado mirando a Jamie Buckingham y no a Ti. Lo hemos puesto en un pedestal, y lo hemos escuchado a él, y no hemos buscado por nosotros mismos oír Tu voz".

Igual que un coro, los otros trescientos hombres se unieron a él, pidiéndole al Señor les perdonara la idolatría de poner al pastor por delante de Jesús.

"Perdónanos, Señor" —dijeron—. "No lo quites de nosotros debido a este pecado".

Un hombre clamó: "Crea en nosotros nuevos corazones, que clamen por Tu presencia y Tu justicia. Haz que mantengamos nuestros ojos en Ti, no en Jamie".

Alrededor y por encima de la plataforma de la Iglesia del Tabernáculo los hombres cayeron de rodillas y lloraron y se postraron delante de su Dios, arrepentidos con lágrimas de su pecado, y de sus propias fallas de no vivir con la fortaleza de Dios, y con contraataques válidos sólo de Su poder.

Algunos sintieron otra convicción. ¿Por qué no oran siempre, en la misma forma, por todas las necesidades de la iglesia y los hermanos? ¿Por qué tiene que estar el pastor a punto de morir para que ellos se pongan de rodillas?

Seguramente que todo el resto de la congregación merecía tan intensa intercesión; como ese chico de tercer grado atacado de leucemia, o ese sargento de la Fuerza Aérea obligado a retirarse por un tumor cerebral, o esa anciana batallando con un cáncer de páncreas.

Y los hombres oraron por esas personas, al parecer insignificantes. Y por supuesto, los hombres siguieron intercediendo por el pastor que amaban.

Y mientras ellos, y miles de otras personas oraban, Jamie volvió a sentir la certeza de que debía operarse. ¿No podría el Señor sanar a Jamie sin necesidad de pasar bajo el bisturí?

Oh, sí.

Pero Dios sana en muchas y asombrosas maneras.

En 2 Reyes 5 tenemos la historia de Naamán, el siro. Dios pudo haberlo sanado instantáneamente de su lepra. Pero en cambio Dios lo mandó que fuera a Israel, que se humillara delante de Eliseo y se zambullera siete veces en el río Jordán.

Y Pablo no tocó a Timoteo y le dio instantánea sanidad, o le ordenó a su joven discípulo que se arrodillara clamando en busca de sanidad. Pero leemos en 1 Timoteo 5:23 que Pablo le manda no beber de aquí en adelante agua sino usar un poco de vino, "a causa de tu estómago y tus continuas enfermedades".

El profeta Isaías no puso las manos sobre el rey Ezequías, como leemos en 2 Reyes 20:7, sino que le dio una receta naturista, prescripta por el Señor.

¡Lee la historia tú mismo!

En el capítulo 9 del evangelio de Juan leemos que Jesús sanó un ciego de nacimiento poniendo barro hecho con saliva en sus ojos y enviándolo a lavarse al estanque de Siloé. En Marcos 9, Jesús sana otro ciego escupiendo en sus manos y poniéndolas sobre el ciego. Y lo tuvo que tocar dos veces para que recibiera completa sanidad y pudiera ver claramente.

Por eso no es correcto pensar que Dios sana instantáneamente.

Y es un error ordenarle a Dios que lo haga.

No es fe cuando tú decides por tu cuenta cuál debe ser la manera correcta en la cual Dios debe sanarte.

Fe es cuando creemos sin ninguna prueba física que Dios ha hecho lo que El dijo que haría —¡particularmente cuando no podemos ver ningún resultado todavía!

Los doctores de Melbourne se negaron a practicar la cirugía. Jamie, entonces, voló a Houston, Texas, antes de hallar cirujanos que quisieran operarlo.

Los cirujanos le extirparon un riñón. También le sacaron muestras del sistema linfático y de los huesos para hacer análisis.

Mientras se recuperaba en el hospital, empezaron a llegar los informes del laboratorio.

Aparentemente, había habido un error.

Su sistema linfático no tenía cáncer.

Nada se había extendido al pecho, como se había temido. Pero el riñón sí estaba cancerizado.

Pero el cáncer, básicamente, estaba confinado ahí.

Y todo había sido removido en la mesa de operaciones.

Todo.

Poco después Jamie publicó sus experiencias en un libro titulado *My Summer of Miracles*, donde proclamó su completa sanidad. Alegre, victoriosamente, testificó la gran cosa que Dios había hecho con El.

Cuando hablé con Jamie, esta fue la parte más importante: Mi querido amigo Jamie no le tuvo miedo a la muerte. En ningún momento.

¡Solamente no había deseado irse al cielo antes de tiempo!

Así que, ¿cómo podemos tú y yo contraatacar cuando un buen amigo cae bajo esta clase de asalto, particularmente una enfermedad como esta?

Amigos íntimos de David y Gwen Wilkerson pasaron por el mismo trauma cuando Gwen tuvo que pasar por cuatro operaciones de cáncer, una historia que relato en mi libro *David Wilkerson: La última advertencia*[1]

¿Por qué Dios lo permite? ¿Por qué permitió que una mujer tan buena y maravillosa como Gwen fuera atacada de cáncer cuatro veces seguidas? ¿Y tener que pasar otras tantas veces por operación y terapia?

¿Por qué?

¿Por qué permitió que Jamie, que tan feliz estaba con su sanidad, sufriera una recaída un viernes santo con un nuevo tipo de tumor en la columna vertebral que requeriría diligente terapia de radiación?

¿Por qué? ¿Por qué cuando nuestro Señor podría fácilmente eliminar la enfermedad de los cuerpos de Jamie y Gwen?

¿Por qué?

Muchas veces le escuché hablar a Jamie de maravillosos amigos a quienes el Señor no sanó de sus enfermedades milagrosamente. ¿Por qué grandes figuras cristianas como Kathryn Kuhlman, David de Plessis y Catherine Marshall murieron en la forma en que murieron?

1 Editorial Carisma.

¿Por qué permitió el Señor que Corrie ten Boom, cuyo poderoso testimonio fue contado en el libro *El refugio secreto*, un libro aclamado por todos, sufriera físicamente tantos años antes de ser llevada al cielo?

¿Por qué permitió que un atleta y misionero como Eric Liddell, de la película premiada *Chariots of Fire*, sufriera tanto y muriera de la manera en que murió en China?

He aquí la respuesta que proclamó Jamie un tiempo antes: "Dejemos que Dios sea Dios".

Proclamemos Su bondad.

Dale gracias en tu tiempo de tribulación.

Regocíjate cuando las cosas parezcan absolutamente negras.

Porque El está ahí.

El no nos lleva al desierto si no tiene una buena razón.

El es Dios.

Y El sabe lo que está haciendo.

Esto no significa que no debemos contraatacar cuando algún amigo está sufriendo de una enfermedad incurable, o padece algún mal inexplicable.

Ni debo sentirme derrotado cuando alguno es llamado al hogar celestial para recibir su recompensa.

Dios no nos da la espalda en nuestras súplicas.

Nunca nos traiciona.

Nuestro lugar es regocijarnos, y saber que El es Dios.

A Satanás le gustaría silenciar nuestras proclamaciones de victoria.

Es una gran derrota de esas fuerzas malignas cuando los creyentes, aceptando la voluntad de Dios, se regocijan al ver que un piadoso amigo es trasladado a las moradas eternas.

¿No oraremos entonces?

¿No debemos interceder más, ansiosamente?

¡Sí, debemos hacerlo! Hay muchos lugares en la Biblia donde Dios ha escuchado las plegarias de su pueblo y ha cambiado el curso de la historia.

Y hay otras veces en que no lo hizo.

Jesús sudó gotas de sangre cuando oró ansiosamente y le pidió al Padre que lo librara de beber el vaso de la cruz, soportar la traición y el abandono, y el juicio y la pasión.

"Que yo no beba esta copa" —fue su petición al Padre, arrodillado en el jardín de Getsemaní.

Pero nuestro Padre no le concedió la petición. Tenía una visión mucho mejor por delante, y esto es la salvación de toda la humanidad.

Jesús, por lo tanto, murió.

Por supuesto, El resucitó. Y gracias a Dios porque él rechazó la petición y llevó adelante Su plan en vez de responder a la plegaria del Hijo hecha con todo el corazón.

Jesús se sometió a la voluntad del Padre, descansando en la verdad de que Dios sabía lo que estaba haciendo.

Jesús se sometió.

Como debemos hacerlo tú y yo.

No siempre es fácil.

Mantén ese que amas en tu lista de oración.

Cree que él o ella será sanado. ¡Amén! Ellos están completamente sanos. Convengamos juntos que él o ella se mantendrán sanos y que Satanás no tendrá ninguna victoria en este incidente.

Y permanezcamos sumisos a nuestro poderoso Señor, para regocijarnos y estar contentos si el Padre elige no alterar el curso de Su magnífico plan.

Cuando estemos orando por un enfermo recordemos todas las promesas del Señor en cuanto a sanar, restaurar y liberar. Debemos mantenernos, en nuestro corazón, unidos estrechamente a Su poderosa seguridad, edificando dentro de nuestros espíritus una fe siempre creciente.

Pero si efectivamente vamos a contraatacar, nosotros, soldados de las trincheras, no debemos desobedecer a nuestro Comandante Supremo.

Aun si El hace cosas que no comprendemos.

Capítulo 16

Nunca dejar de contraatacar

Me trajeron la noticia de que había satanistas militantes en la multitud que asistía a la cruzada. Alguien me envió una nota a la plataforma haciéndome saber que estaban allí.

Algunas de esas personas eran francamente desagradables. Eran tan agresivos en su odio contra Jesucristo que irrumpieron en la reunión, cantando, acusando, demandando igual tiempo en la plataforma y denunciando al orador con obscenidades.

Tú puedes conocer a algunos de ellos pues sus nombres fueron publicados por la prensa. Algunos otros estaban tan hambrientos de publicidad, que decidí no hacer ninguna mención de ellos en mi libro.

Yo sabía esa noche que ellos no deseaban realmente un debate. No deseaban establecer la verdad a través de un intercambio de ideas.

Quizás lo único que buscaban era destruirme, insultarme, hacer perversas acusaciones contra la gente en la plataforma, y turbar todas las cosas hasta producir el caos.

Esa noche no quería yo meterme en un combate mano a mano. Me hallaba exhausto.

Después de una excitante serie de reuniones en Inglaterra, había sido demorado en el aeropuerto Gatwick de Londres, cuando todas las conexiones de mis vuelos habían cambiado inesperadamente. Todo eso me había frustrado realmente, porque necesitaba hacerme cargo de mi próximo compromiso tan pronto descansara un poco y recargara mis baterías espirituales.

Ahora tendría un solo día antes de predicar en Vancouver en una cruzada juvenil donde vendrían 1.500 jóvenes.

El vuelo fue detenido en Montreal, causando que perdiera la combinación para Saint Louis. Así, en vez de tener todo un día de descanso, anduve dieciocho horas en aeropuertos, para poder llegar por fin a mi casa en Colorado Springs a la medianoche.

A las seis de la mañana volé para la cruzada en la costa oeste.

Más cansado de lo que se puede creer.

Físicamente exhausto. Agotado emocionalmente.

Justo antes que comenzara el servicio de canto, me pasaron la nota.

Los satanistas me hacían saber que iban a invadir la plataforma y arrebatarme el micrófono. Ellos iban a conjurar a todos los poderes de las tinieblas para confundirme y destruir la cruzada.

¡Cosa grande!

Justo lo que yo necesitaba.

"Estamos orando para que todas las fuerzas del mal te destruyan, te maten y tiren abajo todo lo que tú has hecho" —decían.

Sin tener tiempo de prepararme, me presenté silenciosamente delante del Señor. Le pedí me diera Su poder, Su fortaleza, Su reciedumbre, Su momento... y Su feliz, misericordiosa inspiración, —dándome la recta palabra que tenía que decir.

Ellos deseaban una confrontación sobrenatural. Deseaban demostrar públicamente que el evangelio no tiene poder para cambiar vidas. Deseaban seducir a los miles de chicos que vendrían a la cruzada con una demostración de su emocionante poder.

Me di cuenta de que estaban allí no solamente para tentar a los jóvenes sino para quitarme a mí de en medio, el ex líder de pandillas callejeras y el hijo de un gran sacerdote satánico.

Y el Señor me abrió los ojos a algo interesante. Esos tipos no estaban realmente preparados para una confrontación de tipo natural. No, ellos podían pelear bien en el ámbito sobrenatural, en el plano de los demonios y fuerzas ocultas, orando a su oscuro señor, invocando a los espíritus de los aires para confundirnos y destruirnos.

"¡Vamos, Nicky!" —puedes tú hacer burla—. "¡Tal parece que quieres hacernos creer en cosas como las de *Twilight Zone*!"

Mis queridos amigos, este tipo de cosas es muy real en estos últimos tiempos. ¿Sabían ustedes que poco tiempo antes que Jim Bakker y Jimmy Swaggart cayeran en esos tremendos escándalos sexuales, brujas modernas dieron vueltas y vueltas alrededor de las oficinas nacionales de las Asambleas de Dios?

Este hecho lo relata el conocido autor doctor David Allen Lewis quien escribió *Prophecy 2000* y *Smashing the Gates of Hell*.

Desde las doce de la noche hasta las dos de la mañana las brujas estuvieron dando vueltas alrededor de las oficinas centrales de las Asambleas de Dios en Springfield, Missouri, igual que los israelitas de Josué dieron vueltas alrededor de Jericó, orando y pidiéndole al diablo que humillara a los grandes líderes de la denominación a través de la inmoralidad.

Tanto Bakker como Swaggart tenían credenciales de las Asambleas. Poco después los dos sufrían horribles escándalos nacionales, en los cuales ambos tuvieron que confesar vergonzosos pecados sexuales.

No, el poder del diablo es real.

¡Pero nosotros no fuimos derrotados!

Cuando me paré en el púlpito miré fijamente a los revoltosos. Parecían personajes salidos de una película de horror, con alfileres en las orejas, labios pintados de negro, con ajustadores de encajes y corsés encima de sus camisetas negras y pantalones *Lycra.*

He aquí lo que vale la pena destacar. Estos individuos habían asistido a las dos noches previas de la cruzada. El jueves y el viernes habían sido noches de poder y de unción del Espíritu, a pesar de mi inmenso cansancio físico.

Cada noche estos tipos raros se habían sentado al frente del auditorio, justo a mi derecha. Cuando llegó la reunión del sábado, yo sabía que algo iba a pasar porque los servicios habían sido fuertes y convincentes.

En la noche del sábado prediqué con poder y convicción. Todos esos extraviados jóvenes se vieron frente a frente con su vida de ataduras y servidumbre, de debilidad y corrupción por sexo, violencia, brujería y drogas. Esa noche hubo un fantástico llamado al arrepentimiento.

Fue entonces que los satanistas se pusieron en acción. El jefe de ellos me mandó otra nota a la plataforma, mientras los pasillos estaban llenos de jóvenes que buscaban a Cristo, arrepentidos de sus pecados.

Esta nueva nota proclamaba que Satanás es más fuerte que Jesús, que Cristo no tiene poder, y que el grupo de los satanistas estaba allí para maldecir el servicio.

Estaban allí para confundirme y hacerme pasar vergüenza. Decían que Satanás tiene control de la Tierra y que Jesucristo no tiene poder sobre Satanás.

Entonces —se mofaba la nota, esa noche habría una lucha espiritual, y Satanás ganaría. Cuando leí toda esta basura, el poder del Señor vino sobre mí, llenándome con audacia y firmeza.

—¡Tú —exclamé desde el púlpito señalando al cabecilla—. ¡Tú, ahí! Yo sé quién eres tú. ¡Yo sé qué eres tú! Tú no tendrás la victoria. ¡Haz tu movida! No tendrás la victoria. Te reprendo en el nombre de Jesús.

—¡Pelea si quieres! ¡Vamos, hombre! ¡Es tu movida, hombre! ¡Andale, aquí estoy! ¡Ven cuando quieras!

Asusté a ese líder *punk*, atemorizado hasta el fondo.

—¡Más grande es el que está conmigo que ese maligno que está contigo! —grité, señalándolo con el dedo—. ¡Ningún demonio que te esté poseyendo podrá hacer nada contra mí, ni contra ninguno de los jóvenes que están aquí esta noche! ¡Estamos aquí para proclamar victoria! ¡Tú, demonio que estás en él, deja esta gente sola! ¡Vete al infierno, que es el lugar que te corresponde!

Creo que todo el tiempo que pasé entre las pandillas de Nueva York no fue tiempo perdido del todo.

Aprendí cómo armar pendencias callejeras.

Y aprendí que la mejor defensa es siempre un buen ataque, antes que el enemigo salte sobre ti. "El que pega primero, pega dos veces".

Créanme cuando digo que esta es la manera de pelear contra Satanás. Audazmente. Sin miedo. A puño limpio.

El cabecilla de los satanistas, un joven como de veinte años, empezó a temblar. El Señor me reveló qué clase de muchacho era este joven oponente —y comprendí rápidamente que era sólo un chico asustado, inducido a pelear por el bando perdedor.

Era un muchacho confundido, atribulado, maltratado, buscando respuestas.

Me sentí lleno de misericordia cuando este joven soldadito del ejército de Satanás, se llenaba de genuina convicción y arrepentimiento. Corriendo hacia el altar, el muchacho lloró y confesó sus pecados, pidiendo a Dios que lo ayudara.

De niño había sufrido abusos por parte del padre, y desde entonces no respetaba a ninguna autoridad. A los catorce años de edad se había relacionado con satanistas. Se le veía trémulo y agitado.

Alabado sea Dios, esa noche se arrepintió.

Puse mi brazo sobre sus hombros y oré por él.

—Nicky —dijo—. Ellos van a tratar de matarme. Tú no puedes darles la espalda a los satanistas. Ora para que yo sea fuerte. ¡Yo sé ahora que Jesucristo es la respuesta, y que Dios solamente es el Señor del universo, y que sólo él tiene todo el control!

El muchacho lloró.

Su corazón estaba quebrantado por el poder del Espíritu Santo.

Lo envié al hogar de unos buenos cristianos que cuidaron de él y lo ayudaron a dar los primeros pasos de la vida cristiana. Había sido abusado severamente cuando chico. Tenía terribles heridas que sólo Jesucristo puede sanar.

Vino a mi cruzada decidido a provocar disturbios. Pero en vez de eso, fue a dar a un hospital del Espíritu Santo.

Hoy en día sirve al Señor Jesucristo.

Mi amigo, tú estas equipado para contraatacar.

¡Tú estás destinado a ganar!

¡Ningún satanista puede silenciarte!

¡Ningún brujo o bruja modernos puede destruirte!

¡Ningún departamento oficial de cuidado de niños puede hacerse cargo de tus hijos! ¡Con Dios a tu lado, ningún loco militante contra Dios puede interrumpir tu avivamiento!

Y ningún pecado puede separarte del amor de tu Padre. Pero por cierto, tendrás que pagar las consecuencias terrenales.

Pero siempre ganaremos, —tú, y yo... y Jesús.

En la convención anual de la Asociación Nacional de Radiodifusoras Evangélicas, realizada en Washington, Mike Warnke, el humorista cristiano, iba a sostener un debate con un hechicero moderno, en el programa radial de Bob Larson.

Pero en vez de discutir abiertamente este brujo comenzó a decir por qué él sabía que el cristianismo era falso, detallando todas las desilusiones que había sufrido de chico, cuando sus padres lo obligaban a ir a la escuela dominical.

Amablemente, Warnke coincidió con el brujo y dijo que rara vez los cristianos son perfectos, y por cierto no lo eran esos que él mencionaba.

Antes del final del programa el brujo había aceptado a Jesús como su Salvador personal.

¡Aleluya!

¿Puede Dios hacer lo imposible?

¡Qué pregunta tonta, Nicky! —podrás decir.

Pero es la clave del contraataque.

Nada es imposible para Dios. El nos ama mucho y está dispuesto a marchar a la batalla con nosotros.

¡También enviará a sus ángeles, para ayudarnos! En el libro de Daniel leemos cómo el Señor le permitió a ese guerrero de oración ver algo de la guerra que se libra sobre nosotros en los cielos. Dios le mostró a Daniel que El contesta las oraciones. ¡Como resultado, el gran arcángel se trabó en batalla con el demoniaco "Príncipe de Persia" por muchos días!

Yo creo que esa misma entidad diabólica sigue acechando sobre esa tierra corrompida que es Irán. Recuerden la terrible confusión que sufrieron las fuerzas norteamericanas cuando Jimmy Carter era presidente e intentó enviar comandos para rescatar a los rehenes de la embajada americana.

Sin ninguna razón aparente, nuestras fuerzas de choque quedaron confundidas. En una sorpresiva e inesperada tormenta de arena los aviones comenzaron a estrellarse unos con otros, con una terrible pérdida de vidas.

¿Por qué? ¡Porque fuerzas malignas se alinearon en los aires, y nadie se les opuso!

Nuestro Dios desea ponerse al lado tuyo cuando te enfrentas a una batalla espiritual. Vimos una gran diferencia en la operación llamada *Tormenta del desierto* en enero de 1991, cuando millones de norteamericanos se pusieron a orar de rodillas, pidiendo el regreso seguro de nuestras fuerzas.

¡Y qué gran victoria se obtuvo, con un mínimo de pérdida de vidas!

Dios siempre triunfa sobre el mal, si El es invitado. El mandará legiones de ángeles en respuesta a nuestras oraciones, y con ellas el arcángel Miguel, a quien yo creo se le ha dado gran autoridad en los cielos y en la tierra para destruir o proteger ciudades y naciones. Miguel es mi héroe personal. El es el poderoso guerrero que batalló por el cuerpo de Moisés contra Satanás, y condujo la brillante campaña contra la rebelión demoniaca en las edades remotas.

Gabriel es el mensajero de los evangelios, el gran arcángel que le dio a María, la doncella virgen, la noticia increíble que sería la madre del Hijo de Dios. Gabriel es el mensajero de Dios que les dio a los pastores la buena nueva del nacimiento de Cristo. El es el ángel que tiene un fuerte sentido de paz, así como Cristo es el Príncipe de paz.

Lucifer, sin embargo, es el arcángel quien es líder de toda la adoración en los aires. Lucifer es una figura trágica que no merece piedad. Aparentemente fue un favorito del Señor, el director del coro celestial, el líder de la alabanza y la adoración delante del mismo trono de Dios.

Pero él se rebeló.

Tontamente trató de derribar al Creador de todas las cosas, el Señor de todo lo que existe —el Todopoderoso que te permite a ti y a mí llamarle Padre.

Ahora, expulsado de la gozosa presencia del único poder verdadero del universo, Lucifer recibe muchos nombres. Belcebú, el señor de las moscas, el padre de la mentira, la serpiente antigua, Belial, príncipe de las tinieblas, el gran dragón rojo, el tentador, el dios de este mundo, Satanás.

Pero Dios tornó Su faz de este rebelde mucho tiempo atrás. ¡Nada de lo que Satanás hace puede prosperar contra nosotros! En efecto, nuestra lucha con él será la gran *Star Wars* (Guerra de las Galaxias) en la historia del mundo.

Esta batalla espiritual que se libra en los cielos es en preparación para la segunda venida de nuestro Señor Jesucristo.

Satanás tiene muchas armas contra nosotros.

¡No se engañen! El es el autor de la astucia y la viveza. A la persona que consume alcohol, le pone el mejor bar por delante. A la persona que es lujuriosa, le presenta la mujer más voluptuosa o el Adonis más elegante.

Y a la persona que no conoce la Palabra de Dios, se le presenta como un espíritu religioso, posando como el Espíritu Santo.

Está rabioso contra Dios.

¡Cómo odia todo lo que simboliza su terrible pérdida!

Cómo desea dañar a los amados de Dios —herir a nuestro Padre, engañando, seduciendo y esclavizando a Sus hijos.

Pero él sólo dice mentiras. He aquí una carta que recibí recientemente en mi oficina, de un joven que está cumpliendo una condena, de cincuenta años por asesinato, en el Departamento de Correccional de Arkansas.

Es un buen ejemplo de "evangelismo postal", que gana almas para Cristo usando el correo. Tú ves, el evangelismo es una de las armas más poderosas contra Satanás. ¡Y espero que esto te muestre que tú no necesitas ser un predicador en campaña evangelística para ganar a los perdidos!

Tú simplemente debes tener cuidado. Como el hombre conocía mi reputación con las pandillas, me había contactado por medio del correo. Me escribió porque pensaba que yo sería el único que podría entender su historia.

Le escribí varias veces, dándole mi propio testimonio y tomando autoridad sobre Satanás. No era solamente Nicky Cruz, sino los esfuerzos combinados de *Nicky Cruz Outreach*, el equipo, y la gente que tiene un ministerio en las cárceles, que hablaron personalmente con él, lo que le trajo paz y liberación por medio de Cristo.

De acuerdo a su carta, tenía once años de edad cuando se inició en el satanismo.

> "Durante mi primera iniciación, fui puesto en el altar y asaltado sexualmente en toda manera posible por todos los miembros adultos del grupo. Aunque sufriendo dolor estaba bien para mí, mientras no perdiese la aceptación y aprobación de mis nuevos amigos.
>
> "Aunque era sólo un chico del sexto grado, empecé a beber y a usar cuanta droga caía en mis manos. Mi familia creía que mis problemas se debían a mi hiperactividad. Me pusieron en manos de un psiquiatra de niños y estuve bajo medicación. Aunque las medicinas me ayudaron a calmarme, no hizo nada para menguar mis actividades con las pandillas ni mi adoración a Satanás.
>
> "En 1975, a la edad de doce, me mudé a las Filipinas con mi familia. Allí me hundí más en el mundo

del ocultismo, y participé en numerosos rituales en las junglas fuera de la base. Me enseñaron a realizar sacrificios de animales y a invocar demonios para hacer hechizos o maleficios.

"Regresamos a los Estados Unidos en 1977. Por la apariencia exterior yo era un muchacho normal de catorce años. Pero por dentro era un satanista, un alcohólico, un drogadicto, y apenas en control de mis funciones normales. Experimenté períodos de profunda depresión, y volar a veces en ciegos estallidos de rabia.

"Constantemente robé cosas de mi familia. Mi mente estaba sucia por el abuso del alcohol, las drogas, el sexo ilícito, las mentiras y los engaños de servir a Satanás.

"A los quince años decidí escaparme de casa. Después de hurtar una pistola, escapé. Un estudiante de colegio, de veinte años de edad, se ofreció para llevarme.

"Cuando nos acercábamos a la rampa donde él debía salir de la autopista, saqué la pistola de mi cintura y se la apliqué a la cabeza. Cuando él hizo caso a mis demandas, una voz en mi cabeza empezó a gritar: '¡Mátalo, mátalo!'

"Traté de quitar la idea de mi mente, pero la voz persistía. Durante diez minutos fue casi una letanía en mi mente. Me sentí aterrorizado, y todavía el canto seguía resonando en mi cabeza, hasta que finalmente, decidí que el joven tenía que morir.

"El estudiante me rogó que no le disparara, y yo le aseguré que iba a apoderarme de su auto.

"En un momento que él me dio la espalda, la voz en mi cabeza gritó: '¡Mátalo!' Instantáneamente levanté el arma y apreté el gatillo, hiriéndolo en la cabeza. Cuando el muchacho cayó, continué disparándole hasta vaciar el cargador.

"Cuando lo vi caído, aturdido y conmocionado por lo que había hecho, le grité que se levantara. Luego corrí al auto, lo puse en marcha y entré a la autopista.

Entonces oí una risa en el asiento trasero.

"Agarré la pistola y me la puse en la sien. Tres veces apreté el disparador, pero el arma no tenía balas. La tiré al piso del auto maldiciendo.

"Fui arrestado dos días más tarde, manejando todavía el auto del muchacho. Corrí desesperadamente delante de los policías que me perseguían, esperando que me balearan y acabaran conmigo. Me obligaron a salirme del camino, me arrestaron, y luego enviado al estado donde había ocurrido el asesinato. Fui juzgado como un adulto y sentenciado a cincuenta años de cárcel en el Departamento Correccional de Arkansas.

"Entré a la prisión en 1979, con la notoriedad de ser el preso más joven del penal.

"La primera noche fui violado en el dormitorio común delante de ochenta hombres —-así dice en su carta este hombre—. Un hombre sin Cristo está sujeto a las miserias del medio en que vive. Y yo no era la excepción. En los varios años siguientes, pasé por interminables ciclos de depresión, rabia y rebelión. Mi amargura creció en el vientre de un sistema corrupto, y cuando me hice mayor, llegué a ser lo que estaba sujeto a ser; no más una víctima de agresión como lo fui en la primera noche, sino un agresor en la jungla que yo llamaba hogar".

Pero ahora ha venido al Señor.

"En agosto de 1990, después de doce años y medio de confinamiento, me hallaba en uno de mis numerosos viajes al 'hoyo' por violar alguna regla de la institución. Robé una hoja de afeitar con la intención de abrirme las venas. Toda la ira, amargura, dolor, temor y soledad, desaparecerían con unos pocos cortes de la pequeña pieza de metal.

"Por primera vez, desde que puedo recordar, me aterroricé con la idea de la muerte. Las preguntas comenzaron a saltar en mi mente. ¿Qué si lo que yo había escogido creer estaba equivocado? ¿Qué si la Biblia dice la verdad, y yo iba a ir a un infierno muy diferente del que yo creía que existía?

"Arrojé la navajita contra la pared, disgustado conmigo mismo y mi confusión. Comencé a leer uno de los varios artículos periodísticos que se habían escrito sobre mí en ese año. Al dorso del artículo se hallaba la dirección de una iglesia en Little Rock, Arkansas. Escribí a esa iglesia, y entonces empezó un proceso que dura hasta el día de hoy.

"Me habían enseñado que Dios nunca me perdonaría por los rituales y profanaciones que yo había hecho. Que por mi alianza con Satanás estaba fuera del alcance del perdón. Tenía que saber si eso era cierto. ¿Me perdonaría Dios por toda la suciedad, por todas las veces que había perseguido a sus seguidores y maldecido Su nombre? ¿Podía Dios alcanzarme tan bajo como había caído?

"Las fuerzas de mi malvado señor procuraron detener lo que estaba sucediendo. Era como si todas las huestes del infierno se lanzaran sobre mí gritando:

'¡El anda buscando! ¡Anda haciendo preguntas! ¡Envíenle dudas, desaliento, e ira!'

"El 28 de noviembre de 1990, a las 2:30 de la madrugada me daba vueltas en la cama tratando de sacar algún sentido de todo lo que había leído ese día. El peso de mi vida se había hecho demasiado grande, y estaba a punto de quebrarme.

"Las lágrimas comenzaron a correr por mis mejillas y con ellas vino la primera de muchas ansiosas oraciones a un poderoso, perdonador y amoroso Dios. Era como abrir con una lanceta una miembro infectado con una tremenda presión por debajo. Toda la amargura, confusión y temor reventaron, y yo fui incapaz de detenerlo, tal era su fuerza.

"Algunos de los convictos que me habían conocido por años pensaron que me había vuelto loco, pero yo estaba hallando el poder sanador del Señor Jesucristo.

"Literalmente, golpeé a las puertas del cielo, gritando me dejaran entrar.

"¡Doy gracias a Dios, y lo alabo, porque él estaba allí para limpiar y sanar mi atormentada alma! ¡Supe en ese mismo momento que el Todopoderoso Dios había oído mi oración, que El me amaba, y que los ángeles se regocijaban en el cielo porque yo había hallado al Salvador del mundo!

"Esa mañana, mientras contemplaba la salida del sol a través de los barrotes de la ventana, sentí una paz y un confort totalmente extraños para mí.

"Las barras de mi prisión física no desaparecieron esa noche, pero las ataduras de mi alma fueron cortadas y arrojadas lejos para siempre.

"Casi desearía poder decir que las cosas se hicieron perfectas en mi vida después de esa bella noche en que me encontré con Jesucristo. Digo 'casi deseo' porque ello realmente se ha hecho perfecto. Nunca aprendería a una confianza mayor y descanso en el Todopoderoso Dios.

"Nunca aprendería a oír Su voz o seguir Su guía. Todavía estaría confiando sólo en mí mismo, en vez de comprender que yo soy nada sin Jesucristo.

"Las cosas no cambian por arte de magia —escribe—. Todavía estoy encontrando los problemas de vivir en una prisión. Con todo, todo se hace fácil, sabiendo que nunca estoy solo y puedo sobreponerme a cualquier problema que me viene.

"He sido perdonado, limpiado y sanado.

"Mi vida está llena de conocimiento y esperanza.

"Sé que mi pasado ha sido perdonado y arrojado lejos de mí, detrás de El; que soy amado y El me cuida.

"Tengo esperanza de un bello 'hoy' y que en este día aprenderé más de El, y lo serviré más plenamente".

¡Amén!

Si hay alguna cosa que deseo se quede contigo, después de leer este libro es que nosotros no podemos pelear en nuestro propio poder.

Ninguna autoridad humana, ningún hombre podría haber cambiado la vida de este prisionero.

Pero Jesús lo hizo —cuando meros hombres batallaron por el alma de este muchacho en el poder y grandeza de nuestro gran Dios.

Y Jesús ganó.

Tú puedes contraatacar también, mi amigo.

Pelea en el poder del Señor. Para ser efectivo tienes que buscarle a El de nuevo, y el poder del Espíritu Santo.

Tienes que conocer Su voz.

Tienes que reconocer su amable guía, como también Su divino impulso.

De otro modo, te verás frustrado en el silencio y empezarás a moverte de nuevo en tu propia fuerza.

¿Cómo obedecerás a Dios?

¿Cómo pelearás en Su fuerza?

Vuelve a la Biblia. Guarda Su palabra dentro de tu corazón, para no pecar contra El. Lee Salmo 119:11.

Fue Jesús que libertó a este hombre y le dio vida.

Y así hará contigo.

Tú puedes, sin duda, contraatacar y ganar.

No por causa de Tom y Leisha.

O por una amorosa pequeña luchadora llamada Amelia.

No a causa de Nicky Cruz.

El día de la superestrella, del gran nombre, del predicador bajo la luz de los focos, ha terminado.

En vez de eso, mis amigos, vamos a ver movimientos del Espíritu Santo en los corazones de la gente común. Así es como millones conocieron al Señor detrás de las Cortinas de Hierro y de Bambú, durante los días terribles de represión religiosa en Rusia, China y Europa Oriental.

Esos creyentes contendieron con falsos profetas también, lobos con piel de oveja, pagados por el gobierno para servir como falsos maestros de un evangelio impotente y muerto.

Pero el pequeño creyente contraatacó.

Y ganó.

Tú y yo podemos cambiar el mundo, trabajando uno a uno con gente lastimada que necesitan respuestas reales que vienen solamente de un Dios que cuida.

Así que, para de mirar por la próxima superestrella.

Eres tú, cuidando del pobrecito que Dios te envía. Eres tú, y yo... millones de nosotros cambiando una vida a la vez, ganando los millones que las superestrellas no pueden alcanzar.

Tú puedes contraatacar.

Tú puedes ganar a causa de la fortaleza y poder en tu vida que vienen a ti, cuando humildemente te postras delante del grande, amoroso Dios que así te ama.

¡Así está El interesado en ti!

El quiere que tú le conozcas como un amigo.

El quiere que tú seas capaz de contraatacar.

¡Gloriosamente!

¡Victoriosamente!

¡Oh, sí, El te ayudará a contraatacar. Nosotros marcharemos adelante con la confianza y la autoridad dadas a nosotros en Cristo Jesús!

Satanás fue derrotado en la Cruz del Calvario. El lo sabe muy bien, pero amigo mío, nosotros debemos saberlo también —¡y creerlo también, cuando contraatacamos!